LA QUÊTE DE *Despereaux*

ou l'histoire d'un souriceau, d'une princesse, d'un bol de soupe et d'une bobine de fil

Kate DiCamillo

Illustrations de Timothy Basil Ering

Pour Luke qui avait envie d'un héros invraisemblable

Remerciements

Je suis reconnaissante aux personnes suivantes pour leur amour, leur patience et leur soutien indéfectible tout au long de la rédaction de cette histoire de souris : Karla Rydrych, Jane St. Anthony, Cindy Rogers, Jane Resh Thomas, Jason William Walton, Alison McGhee, Holly McGhee, Lisa Beck et Tracey Bailey. Despereaux et moi voulons aussi exprimer notre gratitude à Kara LaReau, éditrice, visionnaire et amie.

Catalogage avant publication de Bibliothèque et Archives Canada

DiCamillo, Kate
La quête de Despereaux / Kate DiCamillo; illustrations de Timothy Basil Ering;
texte français de Luc Rigoureau.
Traduction de : The Tale of Despereaux.
Publ. à l'origine sous le titre : L'étonnant destin de Déchanté Deslabours.
ISBN 0-439-96247-1

I. Ering, Timothy B. II. Rigoureau, Luc III. DiCamillo, Kate.
Étonnant destin de Déchanté Deslabours. IV. Titre.

PZ23.D5125Qu 2004 j813'.6 C2004-906138-0

ISBN-13 978-0-439-96247-6

Publié selon une entente conclue avec Walker Books Limited, Londres SE11 5HJ, R.-U.

Les Éditions Scholastic tiennent à remercier Hachette de leur avoir fourni sa traduction originale de *The Tale of Despereaux*, faite par Luc Rigoureau.

Édition publiée par les Éditions Scholastic, 604, rue King Ouest, Toronto (Ontario) M5V 1E1.

8 7 6 5 4 Imprimé au Canada 139 14 15 16 17 18

LA QUÊTE DE *Despereaux*

Du même auteur

Winn-Dixie

Table des matières

Le monde est sombre,
et la lumière, précieuse.
Approche, cher lecteur. Tu dois me croire.
Je te raconte une histoire.

Livre

PREMIER

Naissance d'un souriceau

Chapitre un
Le dernier

CETTE HISTOIRE COMMENCE au beau milieu d'un château, avec la naissance d'un souriceau. Un minuscule souriceau. Le dernier né – et l'unique survivant – de la portée.

— Où sont mes bébés? demanda la mère, épuisée. Montre-moi mes bébés.

Le père souris souleva bien haut le minuscule souriceau.

— Il n'y en a qu'un, annonça-t-il. Les autres sont morts.

— Mon Dieu, juste celui-ci?

— Un seul. Vas-tu lui donner un nom?

— Tout ce travail pour rien, soupira la mère. Quelle désolation! Quelle déception!

« Déception » était l'un de ses mots favoris. Elle l'employait souvent.

— Vas-tu lui donner un nom? répéta le père.

— Un nom? Un nom? Bien sûr, que je vais lui donner un nom! Mais il mourra. Comme les autres. Quelle tristesse! Quelle tragédie!

La mère souris porta un mouchoir à son nez puis l'agita devant son visage. Elle renifla.

— Un nom, voyons voir... Un nom... Nous l'appellerons Despereaux. Un nom qui me rappellera le désespoir qui imprègne ces lieux. Et maintenant, où est mon miroir?

Son mari lui tendit un éclat de miroir. La mère souris, qui se prénommait Antoinette, contempla son reflet et laissa échapper un cri d'horreur.

— Toulèse, ordonna-t-elle à l'un de ses fils, va me chercher ma trousse à maquillage! J'ai une tête à faire peur.

Tandis qu'Antoinette retouchait le fard de ses yeux, le père souris déposa Despereaux sur un lit constitué de lambeaux de couverture. Le soleil d'avril, pâle mais résolu, éclaira soudain une fenêtre du château avant de se faufiler par un petit trou dans le mur et de poser un doigt d'or sur le souriceau.

Les autres enfants souris, plus âgés, se rassemblèrent autour de Despereaux pour l'examiner.

— Ses oreilles sont trop grandes, décréta sa sœur Merlot. Je n'ai jamais vu d'aussi grandes oreilles.

— Regardez! lança un frère nommé Sentinelle. Il a les yeux ouverts. Il a les yeux ouverts, papa! Ce n'est pas normal.

Effectivement, les yeux de Despereaux n'auraient pas dû être ouverts. Ils l'étaient cependant. Le souriceau fixait l'ovale étincelant du soleil reflété au plafond par le miroir de sa mère. Et il lui souriait.

— Cet enfant est malade, annonça le père. Laissez-le tranquille.

Les frères et sœurs de Despereaux s'écartèrent prudemment.

— C'est le dernier! décréta Antoinette de son lit. Je n'aurai plus de bébés. Ils sont une telle déception. Ils fanent ma beauté. Ils abîment ma silhouette. Celui-ci sera

Les yeux de Despereaux n'auraient pas dû être ouverts.

le dernier. Je n'en veux plus.

— Le dernier, acquiesça le père. De toute façon, il sera bientôt mort. Impossible qu'il survive. Pas avec ces yeux ouverts.

Pourtant, lecteur, il survécut.

Ceci est son histoire.

Chapitre deux
Une telle déception!

DESPEREAUX DESLABOURS SURVÉCUT.

Même si son existence fut l'objet de bien des spéculations au sein de la communauté souris.

— C'est le plus minuscule souriceau que j'aie jamais vu, décréta sa tante Florence. Ridicule! Jamais une souris n'a été aussi petite. Pas même chez les Deslabours.

Elle fronça les yeux en direction de Despereaux, comme si elle s'attendait à ce qu'il se volatilise.

— Jamais! répéta-t-elle fermement.

Despereaux, la queue enroulée autour de ses pieds, lui retourna son regard.

— Il a de bien grandes oreilles, observa son oncle Alfred. Elles ressemblent plus à des oreilles d'âne, si vous voulez mon avis.

— Scandaleusement grandes! renchérit tante Florence.

Despereaux remua les oreilles.

Tante Florence en hoqueta de rage.

— On raconte qu'il est né avec les yeux ouverts, chuchota oncle Alfred.

Despereaux fixa son oncle.

— Impossible! s'exclama tante Florence. Aucune souris, aussi minuscule ou scandaleusement oreillarde soit-elle, n'est née les yeux ouverts. Ce ne sont pas des manières.

— Son père, Lester, prétend qu'il est malade, ajouta oncle Alfred.

Despereaux éternua.

Il ne se défendit pas. Qu'aurait-il pu dire? Chacune des paroles de sa tante et de son oncle était vraie. Il était d'une petitesse ridicule, il avait des oreilles d'une grandeur scandaleuse, il était né les yeux ouverts, et il était souffreteux. Il toussait et éternuait tant, qu'il était obligé d'avoir constamment un mouchoir sous la patte. Il avait des poussées de fièvre. Il s'évanouissait au moindre bruit un peu fort. Pire que tout, il ne montrait aucun intérêt pour les choses auxquelles toute souris digne de ce nom aurait dû s'intéresser.

Il ne pensait pas constamment à la nourriture. Il ne traquait pas pendant des heures la moindre miette à croquer.

Un jour, tandis que ses aînés s'empiffraient, Despereaux, complètement immobile, inclina la tête sur le côté.

— Entendez-vous ce son merveilleux, ce son si doux? demanda-t-il.

— Je n'entends que les miettes qui tombent des bouches des gens et s'écrasent par terre, répondit son frère Toulèse. Rien d'autre.

— Non... Il y a autre chose. On dirait... euh... du miel.

— Tu as peut-être de grandes oreilles, se moqua Toulèse, mais elles sont mal attachées à ta cervelle. Le miel ne *s'entend* pas. Le miel *se sent.* Quand il y a du miel à sentir, bien sûr. Ce qui n'est pas le cas.

— Arrête tes bêtises, Despereaux! grogna leur père. Sors la tête des nuages et cherche de quoi grignoter.

— Je t'en supplie, dit sa mère, cherche des miettes. Mange pour me faire plaisir. Tu es tellement maigrichon. Tu fais mon désespoir.

— Pardon, murmura Despereaux.

Et, tête basse, il se mit à flairer le plancher du château.

Mais, lecteur, il ne reniflait pas vraiment.

Il écoutait, de ses grandes oreilles, le doux son qu'aucune autre souris ne semblait percevoir.

Chapitre trois
Il était une fois

LES FRÈRES ET SŒURS DE DESPEREAUX tentèrent de l'éduquer comme une souris digne de ce nom. Son frère Sentinelle l'entraîna dans tout le château pour lui apprendre l'art de la fuite.

— Rase les murs, lui recommanda-t-il en galopant sur les planchers cirés. Regarde toujours derrière toi, d'abord à droite puis à gauche. Ne laisse jamais rien te distraire.

Malheureusement, Despereaux ne lui prêtait aucune attention. Il admirait la lumière se déversant par les vitraux du palais. Debout sur ses pattes arrière, son mouchoir sur le cœur, il était fasciné par cette source de clarté, tellement haute, inaccessible.

— Sentinelle! appela-t-il. Qu'est-ce que c'est? D'où viennent ces couleurs? Sommes-nous au paradis?

— Nom d'un fromage! cria son aîné, du coin où il s'était réfugié, à des mètres de là. Ne reste pas planté au milieu du parquet à parler de paradis! Bouge-toi! Tu es un souriceau, pas un humain. Tu es censé déguerpir.

— Quoi? demanda Despereaux, toujours envoûté par la lumière céleste.

Mais Sentinelle avait filé.

Comme toute souris qui se respecte, il avait disparu dans le trou d'une plinthe.

La sœur de Despereaux, Merlot, lui montra la bibliothèque du château. Là, le soleil entrait par de longues fenêtres étroites, dessinant sur le sol d'étincelantes taches dorées.

— Nous y sommes, dit Merlot. Suis-moi, petit frère, je vais t'expliquer comment ronger le papier dans les règles de l'art.

Elle escalada une chaise et, de là, sauta sur une table où

était ouvert un immense livre.

— Par ici, frérot, indiqua-t-elle en rampant sur les pages de l'ouvrage.

Lui emboîtant le pas, Despereaux bondit sur la chaise, la table, le livre.

— Bien, reprit Merlot, la colle, ici, est délicieuse. Les bords des feuilles sont croquants et très bons aussi.

Elle grignota le bout d'une page, regarda Despereaux.

— Essaie, l'encouragea-t-elle. D'abord un petit peu de colle, que tu fais suivre d'un brin de papier. N'oublie surtout pas ces gribouillis, ils sont exquis.

Despereaux baissa les yeux sur le livre. Tout à coup, il se produisit quelque chose de remarquable. Les signes sur la page – ce que Merlot appelait des « gribouillis » – prirent forme. Les formes devinrent mots, et les mots écrivirent une phrase magnifique et merveilleuse : « Il était une fois. »

— Il était une fois, chuchota Despereaux.

— Quoi? demanda Merlot.

— Rien.

— Alors, mange!

— Je ne peux pas! s'écria Despereaux en reculant.

— Il était une fois, chuchota Despereaux.

— Pourquoi pas?

— Parce que... ça détruirait l'histoire.

— L'histoire? Quelle histoire?

Merlot le dévisagea, un lambeau de papier tremblant au bout de sa moustache indignée.

— Papa avait raison, maugréa-t-elle. Tu ne tournes pas rond.

Sur ce, elle fila rapporter à ses parents cette dernière déception.

Despereaux attendit qu'elle eût disparu pour effleurer d'une patte timide la phrase délicieuse. « Il était une fois. »

Il frissonna, éternua, se moucha.

— Il était une fois, répéta-t-il à haute voix, se délectant de cette musique.

C'est ainsi que, soulignant chaque mot de sa patte, il lut l'histoire d'une belle princesse et d'un preux chevalier qui la servait et l'aimait d'amour noble.

Despereaux l'ignorait encore, mais il allait devoir, très bientôt, se montrer courageux lui aussi.

Ai-je mentionné l'existence d'oubliettes, sous le château? Dans ces oubliettes vivaient des rats. Des rats énormes.

Des rats méchants.

Despereaux était appelé à les rencontrer.

Sache, lecteur, que la plupart de ceux, souris ou humains, qui se distinguent des autres sont promis à un destin passionnant (avec ou sans rats).

Chapitre quatre
L'arrivée de Petit Pois

DEVANT L'INGRATITUDE de la tâche, les frères et sœurs de Despereaux renoncèrent vite à l'éduquer en souris acceptable.

Dès lors, le souriceau fut libre de passer ses journées comme bon lui semblait.

Il errait dans les pièces du château, contemplant rêveusement la lumière qui jouait sur les vitraux. Il allait dans la bibliothèque pour lire et relire l'histoire de la belle damoiselle et du preux chevalier qui la sauvait. Il finit même par découvrir la source du son doux comme le miel qu'il avait entendu un jour.

C'était de la musique.

C'était le roi Philippe qui, tous les soirs, jouait de la guitare et chantait avant que sa fille, la princesse Petit Pois (qu'on appelait Pipa) ne s'endorme.

Caché dans un trou du mur de la chambre de la princesse, Despereaux écouta de tout son cœur. La musique du roi sembla gonfler son âme et l'illuminer de l'intérieur.

— Oh! soupira-t-il. Ce son est comme le paradis. Il a l'odeur du miel.

Il tendit son oreille gauche hors du trou pour mieux entendre, puis sortit son oreille droite pour mieux entendre encore. Il ne fallut pas longtemps pour que l'une de ses pattes suive sa tête, puis une deuxième patte, si bien que, sans l'avoir vraiment voulu, Despereaux se retrouva, au bout du compte, carrément dans la chambre. Tout ça pour avoir désiré approcher la musique.

Despereaux n'avait certes pas grand-chose en commun avec ses semblables. Mais il adhérait au moins à une loi élémentaire de son espèce : jamais au grand jamais, en aucune circonstance, ne révéler sa présence aux humains.

Hélas... la musique, ah! la musique! La musique lui fit perdre la tête et le poussa à oublier le peu d'instinct de souris qu'il possédait. Il se montra. En un rien de temps, il fut repéré par l'œil de lynx de la princesse Petit Pois.

— Oh, papa! s'écria-t-elle. Regardez, une souris!

Le roi s'interrompit. Il loucha, car il était myope. C'est-à-dire qu'il voyait très mal tout ce qui ne se trouvait pas directement sous son nez.

— Où? demanda-t-il.

— Là-bas! répondit la princesse en tendant le doigt.

— Cela, ma chère Pipa, est un insecte. C'est bien trop petit, pour être une souris.

— Oui, oui, c'est une souris.

— Un insecte, te dis-je! rétorqua le roi qui n'aimait pas avoir tort.

— Une *souris*! insista Pipa qui savait qu'elle avait raison.

Quant à Despereaux, il commença à comprendre qu'il venait de commettre une très grave erreur. Il vacilla. Il trembla. Il éternua. Et il envisagea de s'évanouir.

— Il a peur, remarqua Pipa. Il a tellement peur qu'il en frissonne. Je crois qu'il vous écoutait, papa. Reprenez!

— Un roi faisant de la musique pour un *insecte*? sursauta le roi Philippe. Penses-tu que cela soit convenable? Un roi divertissant un insecte risque de renverser le monde, non?

— Papa, je vous répète qu'il s'agit d'une *souris*! s'emporta Petit Pois. Jouez, s'il vous plaît!

— S'il n'y a que ça pour te rendre heureuse, grommela son père, moi, le roi, je jouerai donc pour un insecte.

— Une *souris*, le corrigea Pipa.

Le roi ajusta sa lourde couronne en or. Il se racla la gorge. Il gratta sa guitare et entonna une chanson qui parlait d'étoiles. Elle était aussi douce que la lumière illuminant les vitraux, aussi captivante qu'une histoire dans un livre. Despereaux oublia ses craintes. Il ne désirait plus qu'entendre la musique.

Il rampa plus près, toujours plus près, jusqu'à ce que, lecteur, il soit assis juste aux pieds du roi.

Chapitre cinq
Ce que Sentinelle vit

LA PRINCESSE PETIT POIS se pencha vers le souriceau. Elle lui sourit. Et tandis que son père enchaînait avec un autre morceau, qui parlait cette fois de grappes pourpres dégringolant des murs de jardins endormis, la princesse tendit la main et effleura la tête de Despereaux.

Émerveillé, il la contempla. Pipa, décida-t-il, ressemblait trait pour trait à la belle damoiselle du livre qu'il avait lu dans la bibliothèque. La princesse lui sourit de nouveau et, cette fois, Despereaux lui retourna son sourire. Alors, un événement prodigieux se produisit : le souriceau

Émerveillé, il la contempla.

tomba amoureux.

Lecteur, tu pourrais te poser la question qui suit – tu devrais même te poser la question qui suit : un minuscule souriceau, souffreteux et oreillard de surcroît, qui tombe amoureux d'une belle princesse humaine prénommée Pipa, est-ce ridicule?

La réponse est... oui. Évidemment, que c'est ridicule.

Car l'amour est toujours ridicule.

Mais l'amour est également formidable. Et puissant. Et l'amour de Despereaux pour Petit Pois allait prouver, en son temps, qu'il était tout cela à la fois : puissant, formidable et ridicule.

— Tu es si mignon, dit la princesse à Despereaux. Si petit.

Immobile, le souriceau la dévisageait avec adoration, lorsque Sentinelle, par le plus grand des hasards, trottina devant la chambre de la princesse, regardant tour à tour à droite et à gauche, devant et derrière.

— Nom d'un fromage! s'exclama-t-il.

Il s'arrêta net. Il lorgna dans la pièce. Ses moustaches se tendirent comme les cordes d'un arc.

Ce que Sentinelle vit, ce fut Despereaux Deslabours assis aux pieds du roi. Ce que Sentinelle vit, ce fut la princesse qui caressait la tête de son frère.

— Nom d'un fromage! répéta Sentinelle, furieux. Nom d'un fromage! Il est fou! Il vient de signer son arrêt de mort.

Et, opérant une retraite selon les règles de l'art, il décampa pour apprendre à son père, Lester Deslabours, la terrible, l'incroyable nouvelle de ce dont il venait d'être témoin.

Chapitre six
Le tambour

— C'EST IMPENSABLE! gémissait Lester, au désespoir. Tout bonnement impensable! Ce n'est pas mon fils!

S'attrapant les moustaches, il secoua la tête.

— Bien sûr qu'il est ton fils! rétorqua Antoinette. Qu'est-ce que tu veux dire? Cesse de toujours raconter des sottises, pour une fois!

— Tout ça, c'est ta faute! s'emporta Lester.

— Ma faute? piailla Antoinette. Pourquoi est-ce que tout me retombe toujours dessus? Si ton fils est une telle déception, tu en es autant responsable que moi.

— Il faut réagir, marmotta Lester.

Il tira tellement fort sur ses moustaches que l'une d'elles lui resta dans la patte. Il la brandit en direction de sa femme.

— Il signera notre perte! hurla-t-il. Assis aux pieds du roi humain. Incroyable! Inconcevable!

— Arrête de dramatiser, lança froidement Antoinette en étudiant ses ongles vernis. Il est si petit. Quel mal peut-il bien faire?

— S'il y a une chose que j'ai apprise en ce bas monde, c'est que les souris doivent se comporter en souris. Sinon, elles n'auront que des ennuis. Je vais convoquer une assemblée extraordinaire du Conseil. Ensemble, nous décideron s des mesures à prendre.

— Oh! s'énerva Antoinette. Toi et ton Conseil! C'est une perte de temps, si tu veux mon avis.

— Mais tu ne comprends donc rien? cria Lester. Il mérite d'être puni. Il doit être jugé par le tribunal.

Écartant son épouse d'un geste, il fouilla furieusement sous une pile de vieux papiers et finit par en sortir un dé à coudre sur lequel était tendue une pièce de cuir.

— Je t'en prie, dit Antoinette en se couvrant les oreilles,

pas ça! Pas le tambour du Conseil!

— Oh oui! riposta Lester.

Levant le dé au-dessus de sa tête, il l'orienta successivement vers le nord, le sud, l'est et l'ouest. Puis il le ramena à hauteur de pattes, tourna le dos à sa femme, ferma les yeux, respira un grand coup et se mit à en jouer lentement – un long coup avec sa queue, deux staccatos avec ses pattes avant.

Boum! Rataplan. Boum! Rataplan. Boum! Rataplan.

Tel était le code appelant les membres du Conseil à se réunir. Les battements du tambour les avertissaient qu'une décision importante s'imposait, une décision concernant la sécurité et le bien-être de toute la communauté souris.

Boum! Rataplan. Boum! Rataplan.

Boum!

Chapitre sept
Le souriceau amoureux

ET QUE FAISAIT notre membre préféré de la communauté souris pendant que le tambour du Conseil résonnait dans les murs du château?

Je dois t'avouer, lecteur, que Sentinelle n'avait pas vu le pire. Despereaux, assis en compagnie de la princesse et du roi, écouta chanson après chanson. À un moment, doucement, tout doucement, Pipa le ramassa. Elle le mit dans le creux de sa paume et grattouilla ses oreilles démesurées.

— Quelles charmantes oreilles tu as, murmura-t-elle. On dirait deux petits coussins de velours.

Despereaux crut s'évanouir de bonheur en entendant

quelqu'un comparer ses oreilles à des petits coussins de velours. Enroulant sa queue autour du poignet de Pipa pour assurer son équilibre, il sentit le pouls de la princesse, les battements de son cœur. Le sien s'accorda aussitôt à ce rythme.

— Papa, annonça Petit Pois quand la musique s'arrêta, je voudrais garder cette souris. Je suis sûre que nous deviendrions de grands amis, tous les deux.

Plissant les yeux, le roi examina Despereaux blotti dans la main de sa fille.

— Une souris, marmotta-t-il. Un *rongeur*!

— Oui, et alors?

— Pose-moi ça tout de suite!

— Non! répliqua la princesse qui n'avait pas l'habitude qu'on lui dicte ses actes. Pourquoi devrais-je?

— Parce que je te l'ordonne.

— Mais pourquoi?

— Parce que c'est une souris.

— Je sais bien que c'est une souris. C'est même moi qui vous l'ai appris.

— Je viens de me rappeler.

— Rappeler quoi?

— Ta mère... la reine.

— Ma mère, répéta Petit Pois, soudain fort triste.

— Les souris sont des rongeurs, reprit le roi en ajustant sa couronne. Elles sont apparentées aux... rats. Tu connais notre opinion sur les rats. Tu sais quelles mauvaises relations nous entretenons avec eux.

La princesse frissonna.

— Mais papa, protesta-t-elle, ceci n'est pas un rat. C'est un souriceau. C'est différent.

— Les membres de la famille royale ont des responsabilités, rétorqua son père. L'une d'elles est de ne pas se faire des amis parmi les parents, même éloignés, de nos ennemis. Lâche-le, Pipa.

La princesse posa Despereaux par terre.

— Bien! approuva le roi. Quant à toi, file! ajouta-t-il à l'intention de Despereaux.

Mais Despereaux ne fila pas. Il s'assit et contempla avec adoration la princesse.

— Ouste! cria le roi Philippe en tapant du pied.

— Papa, s'interposa Petit Pois, s'il vous plaît, ne soyez

pas méchant avec lui.

Et elle fondit en larmes.

Ébranlé par ce spectacle, Despereaux rompit alors l'ultime, antique et fondamentale loi des souris. Il parla! À un humain!

— Je vous en prie, ne pleurez pas, dit-il en tendant son mouchoir à la princesse.

En reniflant, elle se pencha vers lui.

— *Ne parle pas à la princesse!* tonna le roi.

Lâchant son mouchoir, Despereaux recula.

— Les rongeurs ne parlent pas aux princesses, ajouta le roi à l'intention du souriceau. Nous ne tolérerons pas que le monde bascule. Il y a des règles. File! Sauve-toi avant que je reprenne mes esprits et ordonne qu'on te tue!

Sur ce, il tapa une nouvelle fois du pied. Alarmé par ce grand pied qui trépignait avec autant de vigueur et de colère aussi près de sa toute petite tête, Despereaux s'enfuit vers le trou de la plinthe.

Avant de s'y faufiler, il se retourna cependant. Il se retourna et cria à la princesse :

— Je m'appelle Despereaux.

— Despereaux?

— Et je vous offre mon cœur.

« Je vous offre mon cœur » était ce que le preux chevalier déclarait à sa belle damoiselle dans le livre que Despereaux lisait tous les jours à la bibliothèque. Il s'était souvent marmonné cette phrase à voix basse mais il tenait, ce soir-là, sa première occasion de l'adresser à quelqu'un.

— Fiche-moi le camp d'ici! hurla le roi en tapant si fort du pied que le château tout entier parut trembler sur ses bases. Les rongeurs n'ont pas de cœur!

Despereaux se glissa dans son trou et se retourna une dernière fois pour admirer la princesse. Elle avait ramassé son mouchoir et regardait... droit dans son âme!

— Despereaux, murmura-t-elle.

Il lut son nom sur ses lèvres.

— Je vous offre mon cœur! chuchota-t-il. Je vous offre mon cœur!

Portant une patte à son torse, il s'inclina si bas que ses moustaches balayèrent le plancher.

Hélas! Notre souriceau était possédé d'amour.

Chapitre huit
Jetez-le aux rats!

À L'APPEL DU TAMBOUR de Lester, le Conseil – treize respectables souris et Grand Maître Souris – se rassembla dans un trou secret situé près de la salle du trône du roi Philippe. Les quatorze membres prirent place autour d'un bout de bois posé en équilibre sur des bobines de fil et écoutèrent, horrifiés, le père de Despereaux leur raconter ce que Sentinelle avait vu.

— Aux pieds du roi, mentionna Lester. Le doigt de la princesse en plein sur sa tête, précisa-t-il. Il avait les yeux levés vers elle et... n'avait pas peur.

Les membres du Conseil en restèrent bouche bée.

Leurs moustaches s'en effondrèrent, leurs oreilles s'en aplatirent. Ils furent à la fois scandalisés et terrifiés.

Lester se tut, et un silence profond et lugubre s'installa.

— Ton fils, finit par décréter solennellement le Grand Maître Souris, ne tourne pas rond. Il est malade, et son affection va bien au-delà de ses poussées de fièvre! Au-delà de ses grandes oreilles! Au-delà de sa petite taille! Il souffre de troubles du comportement. Son attitude nous met tous en danger. Les humains sont indignes de confiance. C'est un fait irréfutable et bien connu. Une souris qui s'acoquine avec eux, une souris qui s'assied juste aux pieds d'un homme, *une souris qui laisse un humain la toucher* – et ici, tout le Conseil frissonna de dégoût – est, elle aussi, indigne de confiance. Ainsi va le monde, notre monde. Honorables compagnons! J'espère de tout mon cœur que Despereaux ne leur a pas, en plus, parlé. Mais il est clair que nous ne pouvons présumer de rien et, de toute façon, le temps est venu d'agir, pas de s'interroger.

Lester acquiesça. Les douze autres aussi.

— Nous n'avons pas le choix, reprit le Grand Maître Souris. Il doit être condamné aux oubliettes! (Et là, il abattit sa patte sur la table.) Il doit être jeté aux rats. Immédiatement! Membres du Conseil, votons! Que ceux qui sont favorables à la sentence lèvent la patte.

Treize pattes jaillirent dans les airs.

— Que ceux qui s'y opposent s'expriment.

Rien! Pas une réaction!

Sauf Lester. Qui pleurait.

Envisages-tu un seul instant, lecteur, que ton père ne s'oppose pas à ce qu'on t'expédie dans des oubliettes infestées de rats? Imagines-tu seulement qu'il ne prononce pas le moindre mot pour te défendre?

Le père de Despereaux sanglota, et le Grand Maître Souris tapa une nouvelle fois sur la table avant de déclarer :

— Despereaux Deslabours sera convoqué devant la communauté. Lui sera lue la liste de ses fautes, et lui sera donnée la chance de les réfuter. S'il ne nie pas, lui sera offerte la possibilité de se rétracter. Pour que, au moins, il gagne les oubliettes le cœur pur. Que comparaisse Despereaux Deslabours devant le Conseil des Souris!

Lester eut au moins la décence de pleurer sur sa perfidie. Lecteur, sais-tu ce que signifie « perfidie »? J'ai le sentiment que oui, vu la petite scène qui vient de se dérouler. Mais vérifie quand même dans ton dictionnaire.

Chapitre neuf
La bonne question

DESPEREAUX RELISAIT L'HISTOIRE. Il se la relisait tout fort. De la première à la dernière page, celle qui promettait au lecteur que tout était bien qui finissait bien pour le preux chevalier et sa belle damoiselle.

Despereaux voulait arriver à ces mots : « Tout est bien qui finit bien. » Il avait besoin de les prononcer à voix haute; il avait besoin d'être sûr que les sentiments qu'il éprouvait pour la princesse Petit Pois – son amour – aboutiraient à une fin heureuse. Il psalmodiait l'histoire comme si elle avait été une formule magique, comme si les mots, dits bien haut, avaient été capables de lancer des sortilèges.

— Non mais regardez-moi ça! grommela Sentinelle dans ses moustaches en voyant son frère, avant de détourner les yeux, écœuré. J'avais raison. Parfaitement raison! Qu'est-ce qu'il fabrique donc, pour l'amour d'un fromage? Il ne mange pas le papier. Il *parle* au papier. C'est nul, nul, nul.

Il héla Despereaux.

— Hé!

Celui-ci poursuivit sa lecture.

— Hé! cria Sentinelle. Le Conseil veut te voir.

— Pardon? demanda le souriceau en s'arrachant à son livre.

— Le Conseil te convoque.

— Moi?

— Toi.

— Pas maintenant, je suis occupé.

Sur ce, il se replongea dans son histoire.

— Nom d'un fromage! gronda Sentinelle. Ce souriceau est complètement bouché! J'ai bien fait de le dénoncer. Il est fou.

Il escalada la chaise, sauta sur la table et s'assit près de Despereaux. Il lui tapota la tête. Une fois. Deux fois.

— Le Conseil te demande. Il te réclame. Il *exige* ta présence. Tu n'as pas le choix. Viens! Tout de suite!

— Sais-tu ce qu'est l'amour? lui demanda Despereaux en se tournant vers lui.

— Hein?

— L'amour.

— Tu te trompes de question, répondit Sentinelle en secouant la tête. Tu devrais plutôt t'interroger sur ce que te veut le Conseil.

— Quelqu'un m'aime, dit Despereaux. Et je l'aime aussi, et rien d'autre ne compte pour moi.

— Quelqu'un t'aime? Tu aimes quelqu'un? La belle affaire! Tu ferais mieux de réfléchir, parce que tu es dans les ennuis jusqu'au cou.

— Elle s'appelle Petit Pois.

— Quoi?

— Celle qui m'aime. Elle s'appelle Petit Pois.

— Nom d'un fromage! Tu ne comprends vraiment rien! Tu ne comprends même pas que tu es une souris. Tu ne comprends même pas que le Conseil t'a convoqué. Tu dois m'accompagner. C'est la loi.

Despereaux soupira. Tendant la patte, il effleura les mots « belle damoiselle » sur le livre. Puis il porta sa patte à sa bouche.

— Nom d'un fromage! s'écria Sentinelle. Tu es complètement ridicule! Allons-y.

— Je vous offre mon cœur, chuchota Despereaux. Je vous offre mon cœur.

Puis, lecteur, suivant Sentinelle, il descendit du livre, dégringola de la chaise, traversa la bibliothèque et se rendit au Conseil des Souris.

Il laissa son frère le conduire vers son destin.

Chapitre dix
De bonnes raisons

SUIVANT LES ORDRES du Grand Maître Souris, toute la communauté s'était rassemblée derrière la salle de bal. Les membres du Conseil étaient assis au sommet de trois briques entassées les unes sur les autres. À leurs pattes, toutes les souris du château, vieilles comme jeunes, sottes comme sages.

On attendait Despereaux.

— Place! hurla Sentinelle. Le voici. Je l'ai trouvé. Place!

Il se fraya un chemin à travers la foule, Despereaux cramponné à sa queue.

— C'est lui, chuchotèrent les souris. C'est lui.

— Qu'il est petit!

— On raconte qu'il est né les yeux ouverts.

Certains reculaient à son passage, dégoûtés. D'autres, avides d'émotions fortes, l'effleuraient du bout de la patte ou de la moustache.

— La princesse a posé son doigt sur lui.

— On dit qu'il s'est assis aux pieds du roi.

— Ce ne sont pas des manières! résonna la voix, reconnaissable entre toutes, de tante Florence.

— Place! Place! beuglait Sentinelle. Je l'ai trouvé! J'amène Despereaux Deslabours devant le Conseil.

Il entraîna Despereaux jusqu'aux trois briques empilées.

— Très honorés membres du Conseil, cria-t-il, voici, comme vous le souhaitiez, Despereaux Deslabours.

Et, avec un coup d'œil par-dessus son épaule, il ajouta à l'intention de son frère :

— Lâche-moi.

Despereaux laissa tomber la queue de Sentinelle. Il leva le museau vers les membres du Conseil. Croisant son regard, son père secoua la tête avant de détourner les yeux. Despereaux fit face à la populace.

— Aux oubliettes! lança quelqu'un. Qu'on le jette directement aux oubliettes!

Les oreilles de Despereaux, jusqu'à présent pleines de phrases aussi jolies que « tout est bien qui finit bien », « petits coussins » et « je vous offre mon cœur », ses oreilles, donc, se dressèrent aussitôt.

— Directement aux oubliettes! renchérit une autre voix.

— Ça suffit! tonna le Grand Maître Souris. Laissez le tribunal travailler correctement. Restons civilisés.

Se grattant la gorge, il s'adressa à Despereaux.

— Regarde-moi, fiston, lui dit-il.

Despereaux obéit. Il plongea ses yeux droit dans ceux du Grand Maître Souris. Ils étaient sombres, profonds, tristes et terrorisés. Le cœur de Despereaux eut un, deux soubresauts.

— Despereaux Deslabours.

— Oui, monsieur.

— Nous autres, les quatorze membres du Conseil, avons débattu de ton comportement. Nous souhaitons cependant t'accorder le droit de réfuter la rumeur concernant tes actes scandaleux. T'es-tu, oui ou non, assis aux pieds du roi humain?

— Oui, monsieur. Mais parce que j'écoutais la musique. Je voulais entendre la chanson du roi.

— Entendre quoi?

— La chanson, monsieur. Elle parlait de grappes pourpres dégringolant des murs de jardins endormis.

Le Grand Maître Souris balaya l'argument d'un geste impatient de la tête.

— Hors de propos! La seule chose qui nous intéresse, c'est : t'es-tu vraiment assis aux pieds du roi humain?

— Oui, monsieur.

L'assemblée agita queues, pattes et moustaches et attendit la suite.

— As-tu laissé l'humaine, la princesse, te toucher?

— Elle s'appelle Petit Pois.

— On s'en moque. L'as-tu autorisée à te toucher?

— Oui, monsieur. Et c'était bien.

La communauté dans son ensemble sursauta.

— Mon Dieu, retentit la voix d'Antoinette, ce n'est pas la fin du monde! Elle l'a touché. Et alors?

— Ce ne sont pas des manières! protesta tante Florence.

— Aux oubliettes! cria un assistant, au premier rang.

— Silence! rugit le Grand Maître Souris. Silence!

Puis il observa attentivement Despereaux.

— Despereaux, reprit-il, connais-tu les règles sacrées et inviolables que se doit de respecter toute souris?

— Oui, monsieur. Je crois que oui. Sauf que...

— As-tu violé ces règles?

— Oui, monsieur. Mais, ajouta-t-il en élevant la voix, j'avais de bonnes raisons. C'était à cause de la musique. Et de l'amour.

— L'amour? s'étrangla le Grand Maître Souris.

— Nom d'un fromage! marmotta Sentinelle. Nous y voilà!

— Je l'aime, monsieur, annonça Despereaux.

— Nous ne sommes pas ici pour parler d'amour! s'emporta le Grand Maître. Nous ne sommes pas ici pour juger de l'amour. Nous sommes ici pour te juger toi, souris dont l'attitude est indigne de celle d'une souris!

— Oui, monsieur. Je comprends.

— Il me semble que non! Mais passons! Puisque tu reconnais tes torts, tu seras puni. En vertu de nos lois ancestrales, tu es condamné aux oubliettes. Nous t'expédions chez les rats.

— Bravo! hurla une souris dans la foule. C'est la règle!

Les oubliettes! Les rats! Le petit cœur de Despereaux lui tomba jusqu'au bout de la queue. Il n'y aurait pas de lumière, dans les oubliettes. Pas de vitraux. Pas de bibliothèque ni de livres. Pas de princesse Pipa.

— Cependant, continua le Grand Maître Souris, nous t'offrons la possibilité de te rétracter. Nous t'autorisons à gagner les oubliettes le cœur pur.

— Me rétracter?

— Te repentir. Dis que tu es désolé de t'être assis aux pieds du roi humain. Que tu es désolé d'avoir laissé la princesse humaine de toucher. Que tu regrettes tes actes.

Despereaux eut soudain très chaud, puis très froid, puis très chaud de nouveau.

Se rétracter? Renier la princesse?

— Mon Dieu! s'écria sa mère. Ne fais pas l'idiot, mon fils! Repens-toi!

— J'attends, Despereaux Deslabours.

— Euh... euh... euh... *Non!* chuchota Despereaux.

— Quoi? demanda le Grand Maître Souris.

— Non! répéta Despereaux, fermement cette fois. Je ne regrette rien. Je ne me repens pas. Je l'aime. J'aime la princesse.

Un cri outragé secoua la pièce. La communauté entière sembla vouloir se jeter sur Despereaux. C'était comme si les souris étaient devenues un seul corps immense, secoué par la colère, doté de centaines de queues, de milliers de moustaches et d'une gigantesque bouche affamée qui s'ouvrait et se fermait, se rouvrait et se refermait, répétant encore et encore :

— Aux oubliettes! Aux oubliettes! Aux oubliettes!

Les cris ponctuaient les battements du cœur de Despereaux et faisaient trembler son corps à l'unisson.

— Très bien, finit par conclure le Grand Maître Souris. Tu mourras donc le cœur noir. Maître du fil, appela-t-il, apporte ta bobine!

Despereaux s'émerveilla de sa propre audace.

Il s'admira d'avoir tenu tête.

Puis, lecteur, il s'évanouit.

Chapitre onze
Entre le maître du fil

QUAND DESPEREAUX revint à lui, il entendit le tambour. Son père martelait un rythme contenant plus de *boum* que de *rataplan*. Le résultat était menaçant : *Boum! Boum! Boum! Rataplan. Boum! Boum! Boum! Rataplan.*

— Place au fil! cria une souris qui poussait devant elle une bobine de fil rouge. Place au fil!

— *Boum! Boum! Boum! Rataplan,* continuait le tambour.

— Aux oubliettes! hurlaient les souris.

Couché sur le dos, Despereaux cligna des yeux. Il se demandait comment les choses avaient pu tourner aussi mal. L'amour n'était-il pas une bonne chose? Dans le livre, l'amour était une très bonne chose. C'est parce qu'il aimait la belle damoiselle que le preux chevalier trouvait le courage de la sauver. Tout était bien qui finissait bien. C'est ce que prétendait le livre. Tels étaient les derniers mots de la dernière page. « Tout est bien qui finit bien. » Despereaux était sûr et certain d'avoir lu et relu cette phrase.

Allongé par terre, assourdi par les battements du tambour, les hurlements des souris et les cris du maître du fil se frayant un chemin dans la foule, Despereaux fut soudain assailli par une pensée terrifiante : une autre souris avait-elle par hasard mangé ces mots qui disaient la vérité? Tout était-il vraiment bien qui finissait bien?

Lecteur, crois-tu que pareille chose – tout est bien qui finit bien – existe? Ou, comme Despereaux, commences-tu, toi aussi, à douter que les histoires ont une fin heureuse?

— Tout est bien qui finit bien, murmurait Despereaux. Tout est bien qui finit bien, répéta-t-il quand la bobine de fil s'arrêta près de lui.

— Le fil! Le fil! Le fil! scandait l'assemblée.

— Désolé, annonça le maître du fil, mais tu dois te lever. J'ai un boulot à faire.

Lentement, Despereaux se remit debout.

— Dresse-toi sur tes pattes arrière, s'il te plaît.

Despereaux s'exécuta.

— Merci d'être aussi coopératif.

Sous le regard du souriceau, le maître du fil déroula une longueur de fil et en noua l'extrémité.

— Juste la largeur du cou, marmonnait-il. Ni plus, ni moins. C'est ce que m'a appris le dernier maître.

Il leva les yeux sur Despereaux avant de les reporter sur son nœud.

— Et toi, ajouta-t-il, tu as un cou tout menu, mon ami.

Quand il passa la boucle autour de la tête de Despereaux, celui-ci perçut une odeur de céleri. Et quand l'autre ajusta le nœud, il sentit son haleine lui effleurer l'oreille.

— Est-elle belle? chuchota le maître du fil.

— Quoi?

— Chut! La princesse, elle est belle?

— Petit Pois?

— Oui.

— Plus belle que le jour.

— Ainsi, c'est vrai! soupira le maître du fil en hochant

— Juste la largeur du cou, marmonnait-il. Ni plus, ni moins.

la tête. Une belle princesse, comme dans les contes de fées. Et tu l'aimes, comme un preux chevalier aime sa belle. Tu l'aimes d'amour courtois. D'un amour motivé par le courage, le respect, la noblesse de cœur et la ferveur. C'est exactement ça.

— Comment le sais-tu? demanda Despereaux. Qui t'a parlé des contes de fées?

— Chut!

Le maître du fil se rapprocha encore dans une bouffée verte et piquante de céleri.

— Sois courageux, mon ami, murmura-t-il. Sois-le pour la princesse.

Sur ce, il recula d'un pas, se retourna et hurla :

— Compagnons! Le fil a été attaché. Le fil a été noué.

Un rugissement approbateur secoua la foule.

Despereaux se redressa. Il avait pris sa décision. Il se comporterait comme le maître du fil venait de le lui suggérer. Il se montrerait brave, pour l'amour de la princesse.

Même si (lecteur, se pourrait-il que ce soit vrai?), tout est bien qui finit bien s'avérait être une légende.

Chapitre douze
Adieu

LES MODULATIONS du tambour changèrent une nouvelle fois.

Le *rataplan* final disparut; ne restèrent plus que les *boum*.

Boum! Boum! Boum!

Boum! Boum! Boum!

Lester se servait désormais de sa seule queue, et il l'abattait avec force, avec gravité.

Le maître du fil s'écarta.

Un silence attentif tomba sur la pièce.

Despereaux se tenait devant les siens, le cou enserré de

fil rouge, au pied des membres du Conseil perchés sur leurs briques. Deux costauds apparurent, la tête dissimulée par un capuchon noir percé de fentes pour les yeux.

— Nous allons t'escorter aux oubliettes, annonça l'un d'eux.

— Despereaux! appela Antoinette. Mon Despereaux!

Despereaux scruta la foule jusqu'à ce qu'il eût repéré sa mère. Ce qui ne fut pas difficile. En l'honneur de son benjamin qu'on condamnait aux oubliettes, elle s'était outrageusement maquillée.

Les costauds encapuchonnés posèrent chacun une patte sur une épaule du souriceau.

— Il est l'heure, dit celui de gauche, capuchon numéro un.

Antoinette fendit la foule.

— C'est mon fils! hurla-t-elle. J'exige de parler une dernière fois à mon fils!

Despereaux la regarda. Il s'efforça de rester ferme. Il s'efforça de ne pas être une déception.

— Dites-moi, gémit Antoinette, que va-t-il lui arriver? Que va-t-il advenir de mon bébé?

— Mieux vaut que vous l'ignoriez, madame, répondit capuchon numéro un de sa voix grave et lente.

— J'ai besoin de savoir! Je le veux! Il s'agit de mon enfant! De l'enfant de mon cœur. Du seul survivant de ma dernière portée.

Les capuchons restèrent silencieux.

— Je vous en supplie.

— Les rats, répondit capuchon numéro un.

— Les rats, répondit capuchon numéro deux.

— Oui, bon, les rats. Oui. Et alors?

— Les rats le dévoreront, précisa capuchon numéro deux.

— Ah! Mon Dieu!

À la perspective d'être mangé par les rats, Despereaux oublia tout courage. Il oublia également de ne pas être une déception. Il eut très envie de s'évanouir une nouvelle fois. Mais sa mère le battit de vitesse : exécutant une magnifique et impeccable syncope, elle s'écroula aux pieds de son fils.

— Regarde ce que tu as fait, grogna capuchon numéro un à son acolyte.

— Bah, ce n'est pas grave, répliqua capuchon numéro deux. On n'a qu'à l'enjamber. Ce n'est pas une mère qui va nous empêcher de faire notre boulot. Allez, hop! aux oubliettes!

— Aux oubliettes! répéta capuchon numéro un.

Sa voix, si grave et assurée un moment plus tôt, tremblait néanmoins un peu. Il poussa légèrement Despereaux dans le dos. Tous trois enjambèrent Antoinette. La foule s'écarta et entonna sa litanie :

— Aux oubliettes! Aux oubliettes! Aux oubliettes!

Le tambour reprit ses martèlements.

Boum! Boum! Boum!

Boum! Boum! Boum!

On emmena Despereaux.

Au dernier moment, Antoinette revint à elle et hurla un mot, un seul, à son enfant.

Ce mot, lecteur, fut « adieu! ».

« Adieu » n'est pas un mot que tu aimerais entendre dans la bouche de ta mère, au moment où deux souris grandes comme des armoires à glace et dissimulées par des capuchons noirs t'entraînent vers les oubliettes.

Tu préférerais entendre : « Prenez-moi plutôt. J'irai aux oubliettes à la place de mon fils. » Paroles ô combien réconfortantes.

Malheureusement, lecteur, il n'y a aucun réconfort dans le mot « adieu ». Quelle que soit la langue dans laquelle tu le prononces. C'est un mot qui, partout au monde, est lourd de chagrin. C'est un mot qui n'augure rien, mais alors rien du tout, de bon.

Chapitre treize
Perfidie à volonté

LES TROIS SOURIS descendirent, descendirent, descendirent. Le fil serrait le cou de Despereaux, qui crut plus d'une fois s'étrangler. Il y porta la patte.

— Pas touche! aboya capuchon numéro deux.

— Ouais! renchérit capuchon numéro un. Pas touche!

Ils marchaient vite. Dès que Despereaux ralentissait, un des costauds le bousculait en lui ordonnant de presser le pas. Ils se faufilèrent dans des trous et dévalèrent des escaliers dorés. Ils croisèrent des pièces closes et d'autres béantes. Ils parcoururent des sols de marbre, ils trottinèrent sous de lourdes tentures de velours. Ils traversèrent de tièdes taches de soleil et de noires flaques d'ombre.

Tel était, pensait Despereaux, le monde qu'il laissait derrière lui, le monde qu'il connaissait et aimait. Quelque part, la princesse Petit Pois riait, souriait et applaudissait à la musique, inconsciente du destin de Despereaux. De savoir qu'il ne pourrait pas avertir Pipa de son sort lui parut soudain intolérable.

— Serait-il possible d'échanger un dernier mot avec la princesse? demanda-t-il.

— Un mot? sursauta capuchon numéro deux. Avec une humaine?

— J'aimerais qu'elle sache ce qui m'arrive.

— Nom d'un petit souriceau! s'exclama capuchon numéro un, qui s'arrêta net et tapa du pied. Nom d'un fromage! Rien ne te sert de leçon, hein?

Cette voix parut soudain terriblement familière à Despereaux.

— Sentinelle? murmura-t-il.

— Quoi? riposta capuchon numéro un, agacé.

Despereaux frissonna. Son propre frère le conduisait aux

oubliettes! Son cœur s'arrêta net et parut se rabougrir en un petit caillou froid et incrédule. Puis il repartit brutalement, gonflé d'espoir.

— Sentinelle, dit Despereaux en prenant la patte de son aîné dans les siennes. S'il te plaît, laisse-moi partir. Je t'en prie. Je suis ton frère.

— Non! riposta Sentinelle en levant les yeux au ciel et en récupérant sèchement sa patte. Pas question!

— Je t'en supplie.

— Non. La loi, c'est la loi.

Lecteur, te souviens-tu du sens de « perfidie »? Ne trouves-tu pas que ce mot s'avère de plus en plus approprié à notre histoire, au fur et à mesure qu'elle progresse?

« Perfidie » fut certainement le mot auquel songea Despereaux quand ils arrivèrent enfin en haut des marches étroites et raides qui descendaient vers le trou noir des oubliettes.

Les trois souris (deux encapuchonnées, l'une tête nue) contemplèrent un instant l'abîme qui s'ouvrait sous leurs pieds.

Puis Sentinelle bomba le torse et, la patte droite sur le

Despereaux frissonna. Son propre frère le conduisait aux oubliettes!

cœur, s'adressa aux ténèbres :

— Pour le bien des souris du château, nous livrons aujourd'hui le condamné aux oubliettes. Conformément aux lois édictées, il porte le fil rouge de la mort.

— Le fil rouge de la mort? répéta Despereaux d'une toute petite voix.

« Il porte le fil rouge de la mort » était en effet une bien terrible phrase. Mais le souriceau n'eut guère le loisir d'en méditer les implications, car les costauds le précipitèrent en avant.

Ce fut une vigoureuse poussée, et Despereaux dévala l'escalier à toute vitesse. Tandis qu'il dégringolait, moustaches par-dessus tête, trois mots seulement lui vinrent à l'esprit. L'un était « perfidie ». Les deux autres mots

auquel il s'accrocha étaient « Petit Pois ».

Perfidie. Petit Pois. Perfidie. Petit Pois. Tels furent les mots qui tournoyèrent comme un moulin à vent dans la tête de Despereaux quand son corps sombra dans le néant.

Chapitre quatorze
Ténèbres

ALLONGÉ AU PIED des marches, Despereaux palpa ses os un à un. Ils étaient tous là. Plus surprenant encore, ils étaient intacts. Il se remit sur pied. C'est alors qu'il prit conscience d'une odeur implacable, repoussante et particulièrement choquante.

Les oubliettes, lecteur, empestaient. Elles empestaient la désespérance, la souffrance et l'impuissance. Autrement dit, elles puaient le rat.

Et il y régnait un noir d'encre. Une obscurité épaisse et atroce telle que Despereaux n'en avait jamais connu. Elle avait quelque chose de palpable, comme si elle avait pris corps. Le souriceau porta une toute petite patte à ses moustaches. Cette patte, dans les ténèbres, il ne put pas la voir et une pensée extrêmement alarmante l'envahit : Despereaux Deslabours existait-il encore?

— Ça par exemple! s'exclama-t-il.

L'écho de sa voix rebondit dans les ténèbres fétides.

— Perfidie, dit-il ensuite, juste pour entendre une nouvelle fois le son de sa voix, juste pour se persuader qu'il existait bien. Petit Pois!

Le nom de sa bien-aimée fut aussitôt avalé par l'obscurité.

Despereaux frissonna. Il trembla. Il éternua. Il claqua des dents. Il regretta de ne plus avoir son mouchoir. Il attrapa sa queue – et il lui fallut un long et effrayant moment pour la localiser, tant la noirceur était absolue – histoire d'avoir une chose, n'importe quelle chose, à laquelle s'accrocher.

Il envisagea de s'évanouir, ce qu'il considérait comme la seule réaction raisonnable au vu de la situation dans laquelle il se trouvait. Mais il se rappela les mots du maître du fil : noblesse de cœur, respect, ferveur et courage.

— Je serai courageux, pensa Despereaux. Je vais essayer d'être aussi brave qu'un preux chevalier. Je serai hardi pour l'amour de la princesse Petit Pois.

Quelle était la meilleure façon de procéder?

Il se racla la gorge. Il lâcha sa queue. Il se redressa.

— Il était une fois, lança-t-il aux ténèbres.

Il prononça cette phrase, parce que c'étaient les mots les meilleurs et les plus puissants qu'il connût et que le seul fait de les formuler à haute voix le réconfortait.

— Il était une fois, répéta-t-il en se sentant déjà un tout petit peu plus courageux. Il y avait un chevalier toujours vêtu d'une étincelante armure d'argent.

— Il était une fois? beugla une voix dans l'obscurité. Un chevalier à l'étincelante armure? Qu'est-ce qu'une souris y connaît, hein?

Cette voix – la plus forte que Despereaux eût jamais entendue – devait appartenir – du moins, le pensa-t-il – au rat le plus gros du monde.

Le petit cœur surmené de Despereaux cessa de battre.

Et, pour la deuxième fois de la journée, le souriceau s'évanouit.

Chapitre quinze
Lumière

QUAND DESPEREAUX se réveilla, il se trouvait au creux de la paume calleuse d'un humain et contemplait la flamme d'une allumette, derrière laquelle il distingua un gros œil noir rivé sur lui.

— Une souris avec du fil rouge, cria la voix. Ah, ah! Grégoire connaît les coutumes des souris et des rats. Grégoire sait. Et Grégoire a son propre fil à la patte. Regarde, souris.

L'allumette se déplaça jusqu'à une bougie. Celle-ci prit vie en crachotant, et Despereaux vit qu'une corde était attachée à la cheville de l'homme.

— Mais ce qui nous différencie, c'est que la corde de Grégoire le sauve, alors que ton fil signera ta perte.

L'homme souffla la chandelle, et l'obscurité revint. La main se resserra autour de Despereaux, qui sentit son cœur accablé battre comme un fou sous l'effet de la peur.

— Qui êtes-vous? chuchota-t-il.

— La réponse à ta question, souris, est : Grégoire. Tu parles à Grégoire le geôlier, enterré ici pour veiller sur ces oubliettes depuis des décennies, des siècles, des millénaires. Une éternité. Tu parles à Grégoire le geôlier qui, par la plus grande des ironies, n'est lui-même rien d'autre qu'un prisonnier.

— Oh! Euh... pouvez-vous me poser, Grégoire?

— Il souhaite que Grégoire le geôlier le laisse partir! Écoute bien Grégoire, souris. Tu aurais intérêt à ne pas vouloir t'en aller. Car ici, dans ces oubliettes, tu es au centre le plus noir et le plus traître du monde. Si Grégoire te relâchait, ce lieu labyrinthique, avec ses allées inextricables, ses chemins entrelacés, ses impasses et ses culs-de-sac, t'engloutirait pour l'éternité. Seuls Grégoire et les rats savent se retrouver dans ce dédale. Les rats, parce qu'ils possèdent la science et parce que ce lacis reflète la noirceur de leurs propres âmes. Et Grégoire, parce que la corde est attachée à sa cheville pour toujours afin de le ramener à son point de départ. Oh, Grégoire te libérerait volontiers! Mais ce ne serait que pour te reprendre plus tard, car tu l'en supplierais. Les rats sont déjà après toi, vois-tu.

— Vraiment?

— Tends l'oreille! Entends leurs queues traîner dans la fange et l'ordure. Entends-les limer leurs griffes et leurs dents. Ils approchent. Ils viennent pour te mettre en pièces.

Despereaux écouta donc et fut presque certain de percevoir les griffes et les dents des rats, et le son que produisent les choses pointues que l'on aiguise.

— Ils arracheront ton poil à ta chair et ta chair à tes os. Quand ils en ont terminé avec ceux de ton espèce, il ne reste que le fil rouge. Et les os. Grégoire a maintes fois assisté à la fin tragique d'une souris.

— Mais je dois vivre! protesta Despereaux. Je ne peux pas mourir.

— Tu ne peux pas mourir. Comme c'est mignon. Il dit qu'il ne peut pas mourir!

Grégoire resserra encore sa poigne autour de Despereaux.

— Et pourquoi donc, souris? reprit-il. Pourquoi ne

peux-tu pas mourir?

— Parce que j'aime. J'aime d'amour, et mon devoir est de servir celle que j'aime.

— Aimer. L'amour. Non mais écoute-toi un peu! Je vais te montrer, moi, ce que fabrique l'amour!

Sur ce, une nouvelle allumette fut craquée, et la bougie rallumée. Grégoire éclaira une pile énorme, imposante et chancelante de cuillères, casseroles et autres bols pour la soupe.

— Regarde bien, souris. Observe attentivement ce monument à la folie de l'amour.

— Qu'est-ce que c'est?

Despereaux examina le tas de vaisselle qui, telle une tour, grimpait, grimpait, grimpait à l'assaut des ténèbres.

— Ce dont ça a l'air. Des cuillères et des louches. Des écuelles et des bols. Des soupières et des marmites. Elles sont ici rassemblées, preuve irréfutable de la douleur qu'engendre l'amour pour un être vivant. Le roi aimait la reine, et la reine est morte. Cette monstruosité, ce tas de rebuts sont le résultat de l'amour.

— Je ne comprends pas.

— Continue, souris! Raconte une histoire à Grégoire.

— Tu ne comprendras que quand tu auras perdu celle que tu aimes. Mais assez parlé d'amour.

Grégoire souffla la bougie.

— Parlons plutôt de ta vie. Et de la façon dont Grégoire la sauvera, si tu veux.

— Pourquoi feriez-vous ça? Avez-vous déjà secouru d'autres souris?

— Jamais. Aucune.

— Pourquoi moi, dans ce cas?

— Parce que toi, tu sauras raconter une histoire à Grégoire. Les histoires sont la lumière. Et la lumière est précieuse dans un monde aussi sombre que le mien. Commence par le début. Raconte une histoire à Grégoire, souris. Donne-lui un peu de lumière.

Alors, parce qu'il avait très envie de vivre, Despereaux se lança :

— Il était une fois...

— Oui, approuva Grégoire joyeusement.

Il leva la main haut, très haut, jusqu'à ce que les moustaches de Despereaux chatouillent son oreille fripée par les ans.

— Continue, souris! Raconte une histoire à Grégoire.

C'est ainsi que Despereaux devint la seule souris condamnée aux oubliettes que les rats ne réduisirent pas à un tas d'os et à un fil rouge.

C'est ainsi que Despereaux sauva sa vie.

Et, si tu veux bien, lecteur, nous allons, pour l'instant, laisser notre souriceau ici : dans les oubliettes ténébreuses, dans la main d'un vieux geôlier à qui il raconte une histoire pour échapper à la mort.

Il est temps pour nous de tourner notre attention ailleurs, temps pour nous, lecteur, de parler de rats, d'un rat en particulier.

Fin du livre premier

Livre
DEUXIÈME
Chiaroscuro

Chapitre seize
Aveuglé par la lumière

POUR POURSUIVRE NOTRE HISTOIRE, lecteur, il nous faut remonter dans le temps, jusqu'à la naissance d'un rat, un raton appelé Chiaroscuro, un petit rat né dans la fange et les ténèbres des oubliettes plusieurs années avant la venue au monde du souriceau Despereaux, là-haut dans la lumière.

Sais-tu, lecteur, ce que signifie « chiaroscuro »? C'est un mot italien qui désigne un effet de contraste entre la lumière et l'ombre, et que l'on traduit, en français, par « clair-obscur ». Les rats n'aimant pas vraiment la lumière, les parents du raton avaient trouvé drôle de prénommer leur fils Chiaroscuro. Les rats ont le sens de l'humour. Pour dire vrai, ils trouvent la vie extrêmement amusante. Et ils ont raison, lecteur, ils ont raison.

Dans le cas de Roscuro (comme le surnommaient les

autres rats), la plaisanterie s'avéra contenir une once de prophétie. En effet, tout jeune raton, Roscuro découvrit un jour un grand morceau de corde gisant sur le sol des oubliettes.

— Ah! Qu'est-ce que c'est que ça? dit-il.

Étant rat, il se mit aussitôt à ronger sa trouvaille.

— Arrête tout de suite! aboya une grosse voix.

Une main immense surgit des ténèbres, s'empara du raton et le suspendit en l'air par la queue.

— Dis donc, le rat, tu n'oserais pas manger la corde de Grégoire, par hasard?

— Qui es-tu, toi? répliqua Roscuro qui, même la tête en bas, gardait l'arrogance des rats.

— Petit malin, va! Espèce de petit futé qui croque la corde de Grégoire. Grégoire va t'apprendre les bonnes manières, tiens!

Puis, sans lâcher Roscuro, le geôlier gratta une allumette sur l'ongle de son pouce – pschitt! – et la colla sous le museau du raton.

— Ahhh! cria celui-ci.

Il rejeta la tête en arrière pour fuir la lumière éblouissante. Hélas! Il oublia de fermer les yeux. La flamme explosa autour de lui avant de l'envahir tout entier.

— Personne ne t'a donc appris les règles? lui demanda Grégoire.

— Quelles règles?

— Il ne faut pas toucher à la corde de Grégoire, raton.

— Et alors?

— Tu as osé la ronger. Excuse-toi.

— Non.

— Sale petit rat! Affreuse bestiole! Ton âme est noire! Grégoire en a assez des tiens.

Il rapprocha l'allumette du museau de Roscuro, et une épouvantable odeur de moustaches brûlées enveloppa le geôlier et le raton. Lorsque la flamme mourut, Grégoire lança Roscuro dans le noir.

— Et ne touche plus jamais à la corde de Grégoire, le menaça-t-il, ou tu le regretteras.

Roscuro resta assis par terre. Ses moustaches gauches avaient disparu. Son cœur battait à tout rompre et, bien qu'elle fût éteinte, la flamme de l'allumette dansait encore devant ses yeux, même lorsqu'il les fermait.

— Lumière, dit-il à voix haute. Lumière, répéta-t-il tout bas.

À compter de ce moment-là, Roscuro fit preuve d'un intérêt anormal, démesuré, pour les illuminations de toutes sortes. Il cherchait constamment la clarté : de la moindre lueur à la plus minuscule étincelle. Inexplicablement, son âme de rat aspirait à la lumière. Il se mit à croire qu'elle seule donnait un sens à la vie, et le désespoir l'envahit d'en avoir si peu, dans les ténèbres des oubliettes.

Il finit par s'en ouvrir à son ami, un très vieux rat n'ayant plus qu'une oreille et baptisé Botticelli Remorso.

— Je pense, lui dit Roscuro, que la lumière est le sens de la vie.

— Ha! ha! ha! Arrête, tu vas me faire mourir de rire. La lumière et le sens de la vie n'ont aucun rapport.

— C'est quoi, le sens de la vie, alors?

— La souffrance. Celle des autres, surtout. Celle des prisonniers, par exemple. En réduire un aux sanglots, aux gémissements et aux supplications est une façon délicieuse d'injecter un peu de sens à ta vie.

Tout en parlant, Botticelli agitait au bout de la griffe

extraordinairement longue de sa patte avant droite un médaillon en forme de cœur. Il avait dérobé ce dernier à un prisonnier et y avait noué un cordelette tressée. Le pendentif se balançait d'avant en arrière, d'avant en arrière, d'avant en arrière...

— Tu m'écoutes? demanda le vieux rat à Roscuro.

— Oui.

— Bien. Suis mes conseils, et ta vie prendra tout son sens. Je vais t'expliquer comment torturer un prisonnier : d'abord, tu dois le convaincre que tu es son ami. Montre-toi plein d'attentions. Encourage-le à te confesser ses fautes. Et alors, parle-lui. Dis-lui ce qu'il a envie d'entendre. Assure-le, par exemple, de ton pardon. Pardonner aux gens est une formidable plaisanterie.

— Pourquoi? voulut savoir Roscuro dont les yeux suivaient les allers-retours du médaillon.

— Parce que tu donnes ta parole pour aussitôt la reprendre. Ha! ha! ha! Tu mets le prisonnier en confiance, puis tu le trahis. Tu refuses de lui octroyer ce qu'il demande. Le pardon, la liberté, l'amitié, quelle que soit la chose que son cœur désire le plus, tu la lui refuses.

À ce stade de son cours magistral, Botticelli riait tellement fort qu'il dut s'asseoir pour reprendre son souffle. Le pendentif continua à se balancer quelques instants avant de s'arrêter.

— Ha! ha! ha! reprit Botticelli. Confiance et trahison! Ha! ha! ha! Ensuite, tu te montres sous ton vrai jour. Tu te comportes comme celui que le prisonnier a toujours su que tu étais, comme celui que tu te savais être, toi aussi, depuis toujours : ni ami ni confesseur, encore moins celui qui lui pardonnerait ses fautes, mais – Ha! ha! ha! – rat.

Botticelli s'essuya les yeux, secoua la tête et poussa un grand soupir ravi. Il se remit à agiter son médaillon.

— Après, continua-t-il, il est du meilleur effet de trottiner sur les pieds du prisonnier afin d'ajouter un peu de terreur physique à sa terreur psychologique. C'est un jeu délicieux, exquis. Et bourré de sens.

— J'aimerais bien torturer un prisonnier, déclara Roscuro, séduit. J'adorerais faire souffrir quelqu'un.

— Ton heure viendra, le rassura Botticelli. Pour l'instant, tous les prisonniers sont pris. Mais un nouveau finira bien par arriver. Comment le sais-je? Parce que, heureusement, ce bas monde est infesté par le mal, Roscuro. Et le mal, ce sont des prisonniers en perspective. Garanti!

— Alors, il y en aura bientôt un pour moi?

— Oui.

— Pourvu qu'il arrive vite!

— Ha! ha! ha! Tu as hâte, et c'est bien. Parce que tu es un rat. Un vrai rat.

— Un vrai rat!

— Qui se fiche complètement de la lumière.

— Qui se fiche complètement de la lumière, répéta docilement Roscuro.

Botticelli s'esclaffa une nouvelle fois. Le pendentif au bout de sa longue griffe se balançait d'avant en arrière, d'avant en arrière, d'avant en arrière...

— Mon jeune ami, tu es un rat. Tiens-toi-le pour dit. Le mal, les prisonniers, les rats, la souffrance – tout ça va si bien ensemble! Tout ça est parfaitement huilé. Oh, quel monde merveilleux! Quel monde atroce! Quel monde merveilleusement atroce!

Chapitre dix-sept
La vie dure

PEU DE TEMPS APRÈS cette conversation, un nouveau prisonnier fit en effet son apparition. La porte des oubliettes claqua, et Botticelli et Roscuro virent un soldat du roi pousser un homme dans l'escalier.

— Parfait! chuchota Botticelli. Celui-là est pour toi.

Roscuro examina soigneusement l'individu.

— Je vais le faire souffrir, promit-il.

Mais, à cet instant, la porte des oubliettes se rouvrit, et un vaste puits de lumière aveuglante transperça soudain les ténèbres.

— Beurk! s'écria Botticelli en se cachant les yeux avec

une patte.

Roscuro, lui, ne détourna pas le regard.

Note-le bien, lecteur : le rat dénommé Chiaroscuro ne se voila pas la face. Il laissa la clarté du monde entrer en lui et l'envahir. Il en hoqueta même d'enthousiasme.

— Laisse-lui ses quelques biens! cria un autre soldat, au sommet des marches.

Un grand bout de tissu rouge traversa l'air et resta suspendu quelques secondes – écarlate, incandescent – dans les rayons dorés de l'après-midi. Puis la porte fut brutalement refermée, l'obscurité se réinstalla, et le morceau d'étoffe chiffon s'écrasa à terre. Grégoire le geôlier le ramassa.

— Avance et prends ça! enjoignit-il au prisonnier en le lui tendant. Tu n'auras jamais assez chaud, ici.

L'homme se drapa du carré de tissu comme d'une cape.

— Bon, je te le confie, Grégoire! annonça le premier soldat avant de tourner les talons.

Il remonta l'escalier et sortit des oubliettes, laissant passer un peu de la lumière du monde avant de refermer à son tour la porte derrière lui.

Roscuro, lui, ne détourna pas le regard.

— Tu as vu ça? demanda Roscuro à Botticelli.

— Une horreur, oui! riposta l'autre. Ridicule! Qu'est-ce qu'il leur prend d'illuminer cet endroit comme ça? On est dans les oubliettes, nom d'un rat!

— C'était magnifique, dit Roscuro.

— Non! rétorqua Botticelli en le regardant fixement. Non! Pas magnifique du tout.

— Il faut absolument que j'en voie plus. Je dois grimper là-haut.

— On s'en fiche, de la lumière! Ton obsession finit par devenir fatigante. Écoute! Nous sommes des rats. Des *rats*, compris? Notre truc, c'est l'obscurité, pas la clarté. Notre truc, c'est la souffrance.

— Mais... là-haut?

— Il n'y a pas de mais qui tienne! Les rats ne montent pas là-haut. Là-haut, c'est le territoire des souris.

Retirant le médaillon de son cou, Botticelli l'agita sous le museau de Roscuro.

— De quoi est faite cette cordelette? lui demanda-t-il.

— De moustaches.

— De moustaches de...?

— Souris.

— Exactement. Et qui vit là-haut?

— Les souris.

— Exactement! acquiesça Botticelli en crachant par terre. Les souris ne sont que de petits tas de sang et d'os ayant peur de tout. Elles sont méprisables et risibles. Elles sont le contraire de ce que nous essayons d'être. Et tu voudrais vivre dans leur monde?

Sans répondre, Roscuro contempla le merveilleux filet de lumière qui s'infiltrait sous la porte des oubliettes.

— Tu n'as qu'une chose à faire, reprit le vieux rat, c'est torturer ton prisonnier. Tiens, vole-lui son bout de tissu! Comme ça, tu auras un objet de là-haut. Mais, je t'en conjure, ne va pas dans la lumière. Sinon, tu le regretteras.

Tandis qu'il parlait, son pendentif se balançait d'avant en arrière, d'avant en arrière, d'avant en arrière.

— Tu n'appartiens pas à leur monde. Tu es un rat. *Un rat.* Répète après moi.

— Un rat, obéit Roscuro.

— Ne triche pas! gronda Botticelli. Dis : « Je suis un rat. »

— Je suis un rat.

— Encore.

— Je suis un rat.

— Voilà! Et un rat est un rat. Un point, c'est tout. Pour des siècles et des siècles. Amen.

— Oui. Je suis un rat, amen.

Fermant les yeux, Roscuro revit le chiffon rouge tournoyer dans la clarté dorée.

Et, lecteur, il se persuada que c'était le tissu qu'il voulait, et non la lumière.

Chapitre dix-huit
Confessions

COMME LE LUI AVAIT ORDONNÉ Botticelli, Roscuro fila tourmenter le nouveau prisonnier et lui voler son étoffe. Enchaîné au sol, l'homme était assis, jambes tendues devant lui, le tissu toujours drapé sur les épaules. Se faufilant entre les barreaux, Roscuro rampa lentement sur les dalles humides de la cellule.

— Bienvenue! lança-t-il, une fois près de l'humain. Nous sommes ravis de te recevoir.

L'homme gratta une allumette et examina le raton.

Lequel contempla la flamme avec envie.

— File! lui jeta le prisonnier avec un geste de la main

qui éteignit l'allumette. Tu n'es qu'un rat.

— Exact! Je suis un rat. Permets-moi de te féliciter pour ton sens de l'observation hors du commun.

— Que veux-tu, le rat?

— Moi? Rien du tout. Je suis venu pour toi. Je suis venu te tenir compagnie dans le noir.

Roscuro se rapprocha un peu de son interlocuteur.

— Je n'ai pas besoin de la compagnie d'un rat, répondit celui-ci.

— Et le soulagement d'une oreille compatissante, tu n'en as pas besoin non plus?

— Hein?

— Veux-tu confesser tes fautes?

— À un rat? Tu plaisantes!

— Allons, détends-toi. Ferme les yeux. Oublie que je suis un rat. Imagine que je ne suis qu'une voix dans l'obscurité. Une voix qui se soucie de toi.

— D'accord, finit par acquiescer le prisonnier. Je vais te raconter. Mais seulement parce que me taire, garder le secret face à un sale rat, n'aurait aucun sens. Je ne suis pas désespéré au point de me croire obligé de mentir à un rat.

Il se racla la gorge, puis reprit :

— Je suis ici parce que j'ai volé six vaches. Tel est mon crime.

Rouvrant les yeux, il scruta les ténèbres et éclata de rire. Puis il referma les paupières.

— Mais j'en ai commis un autre. Il y a très longtemps. Et ils ne le savent même pas.

— Continue, l'encouragea doucement Roscuro en gagnant insidieusement du terrain.

Il alla jusqu'à frôler le tissu magique du bout de la patte.

— J'ai échangé ma fille, ma propre fille, contre cette nappe rouge, une poule et une poignée de cigarettes.

— Tss! fit Roscuro.

Pareille horreur le laissait de marbre. Après tout, ses parents ne s'étaient pas beaucoup occupés de lui non plus et, y auraient-ils trouvé un quelconque profit, ils n'auraient pas hésité à le vendre. Par ailleurs, dans la torpeur d'un dimanche après-midi, Botticelli lui avait raconté toutes les confessions qu'il avait récoltées auprès des prisonniers. Les monstruosités dont étaient capables les humains ne surprenaient plus Roscuro.

— Et ensuite... reprit l'homme.

— Oui?

— J'ai fait bien pire. Je l'ai abandonnée. Elle pleurait, m'appelait, mais je ne me suis même pas retourné. Non, Seigneur! J'ai continué à marcher.

Le prisonnier se moucha dans sa manche, puis s'éclaircit la voix.

— Je vois, murmura Roscuro qui avait désormais les quatre pattes sur la nappe. Tu trouvais donc ce bout de tissu bien réconfortant pour lui avoir sacrifié ta fille?

— Il me tient chaud.

— Et ça valait ta fille?

— J'aime bien la couleur aussi.

— Ce chiffon te rappelle-t-il ta mauvaise action?

— Oui, marmotta l'homme entre deux reniflements. Oh que oui!

— Alors, laisse-moi alléger ton fardeau, suggéra Roscuro en se dressant sur ses pattes arrière et en s'inclinant profondément. Permets-moi de te soulager de ce qui te rappelle ton crime.

Aussitôt, il planta ses dents puissantes dans la nappe et

l'arracha aux épaules de l'homme.

— Hé! cria celui-ci. Rends-moi ça!

Mais Roscuro, lecteur, était rapide. Il fila avec son butin entre les barreaux de la cellule.

Un vrai magicien!

— Hé! hurla le prisonnier une nouvelle fois. Rends-moi ça! C'est tout ce que j'ai.

— C'est pourquoi je te le prends, rétorqua Roscuro.

— Espèce de sale rat!

— Absolument! C'est ce que je suis : un rat!

Sur ce, abandonnant l'homme, il transporta le tissu jusqu'à son nid pour l'examiner. Quelle déception ce fut! Rien qu'à le regarder de plus près, Roscuro comprit que Botticelli se trompait. Ce qu'il désirait, ce qui lui était nécessaire, ce n'était pas cette guenille, mais la lumière qui l'avait éclairée.

Il souhaitait que la clarté l'inonde, l'envahisse, l'aveugle.

Lecteur, il savait également que, pour cela, il allait devoir sortir des oubliettes.

Chapitre dix-neuf

De la lumière, de la lumière partout!

IMAGINE UN INSTANT, lecteur, que tu aies passé toute ton existence dans les oubliettes. Imagine ensuite que, par une belle fin d'après-midi de printemps, tu sortes du noir et poses le pied dans un univers de vitres miroitantes et de parquets polis, de casseroles en cuivre scintillantes, d'armures étincelantes et de tapisseries brodées d'or. Imagine... Et, pendant que tu y es, imagine aussi autre chose. Imagine que, au moment même où le raton quitte les oubliettes pour gagner les étages du château, une petite souris naît, là-haut, un souriceau, lecteur, destiné à rencontrer le rat subjugué par la lumière.

Mais le rendez-vous n'aura lieu que plus tard. Pour

l'instant, le rat est seulement heureux, émerveillé, ébahi de se retrouver au milieu d'autant de clarté.

— Jamais, murmurait Roscuro, enivré, en trottinant d'un objet lumineux à un autre, jamais je ne partirai d'ici. Je le jure. Je ne retournerai pas dans les oubliettes. À quoi bon? Je ne torturerai plus de prisonnier. J'appartiens à ce monde-ci.

Il valsa joyeusement de pièce en pièce jusqu'à ce qu'il arrive devant la porte de la salle des banquets. Jetant un coup d'œil à l'intérieur, il aperçut le roi Philippe, la reine Rosemarie, la princesse Petit Pois, une vingtaine de nobles, un jongleur, quatre ménestrels et tous les soldats du roi. Ce festin, lecteur, était un régal pour les yeux du rat.

Roscuro n'avait encore jamais vu de gens heureux. Il n'en avait connu que de misérables. Grégoire le geôlier et ceux qu'on expédiait dans son domaine obscur ne riaient, ni ne souriaient, ni n'entrechoquaient leur verre avec leurs voisins.

Roscuro fut enchanté. Tout ici étincelait. Absolument tout. Les cuillères en or sur la table et les grelots sur le chapeau du jongleur, les cordes sur les guitares des ménestrels et les couronnes sur les têtes du roi et de la reine.

Et que dire de la petite princesse! Qu'elle était belle! À croire qu'elle n'était que lumière! Sa robe était couverte de paillettes qui adressaient des clins d'œil complices au raton. Et quand Petit Pois riait, et elle riait souvent, tout alentour semblait briller d'autant plus.

— Oh! s'extasia Roscuro, c'est extraordinaire! Je dois absolument dire à Botticelli qu'il se trompe. Ce n'est pas la souffrance, la solution. C'est la lumière.

Et, sans plus réfléchir, il entra dans la salle des banquets, la queue au garde-à-vous, marchant au pas cadencé, au rythme de la musique que jouaient les ménestrels sur leurs guitares.

Le rat, lecteur, s'invita à la fête.

Chapitre vingt
Du haut d'un lustre

LA SALLE DES BANQUETS était ornée d'un magnifique lustre ornementé. Ses cristaux reflétaient les bougies de la table et les éclats de rire de la princesse. Ils dansaient au son de la musique, se balançant d'avant en arrière, miroitant et semblant appeler Roscuro.

Quel meilleur endroit pour admirer tant d'éclat et de splendeur?

La compagnie riait, chantait et jonglait avec tellement d'entrain que personne ne repéra Roscuro en train d'escalader un pied de la table, rampant sur celle-ci et, de là, s'élançant sur la plus basse branche du lustre.

Suspendu par une patte, il oscilla d'avant en arrière, se

repaissant du spectacle qui se déroulait sous lui : les fumets de la nourriture, les notes de musique, la lumière, la lumière partout. La lumière stupéfiante, incroyable. Tout sourire, Roscuro secouait la tête.

Malheureusement, un rat ne peut batifoler sur un lustre que tant qu'il passe inaperçu.

C'est une vérité première, même lors du plus animé des festins.

Lecteur, devines-tu qui l'aperçut en premier?

Tu as raison.

La princesse Petit Pois aux yeux de lynx.

— Un rat! hurla-t-elle. Un rat est accroché au lustre!

La fête, comme je l'ai dit, était animée. Les ménestrels grattaient leurs guitares et chantaient, les convives s'esclaffaient et mangeaient, l'homme en chapeau à grelots jonglait tout en tintinnabulant.

Personne, dans cette joyeuse effervescence, n'entendit Pipa. Sauf Roscuro.

Rat.

Jamais encore il ne s'était rendu compte de la laideur du mot.

Rat.

— Un rat! hurla-t-elle.
Un rat est accroché au lustre!

Au milieu de toute cette beauté, il avait des accents extrêmement déplaisants.

Rat.

Un juron, une insulte, un mot totalement dénué de lumière. Et ce n'est que lorsqu'il l'entendit dans la bouche de la princesse que Roscuro comprit qu'il n'aimait pas être un rat, qu'il ne voulait pas être un rat. Cette révélation fut si fulgurante qu'il en perdit sa prise.

Le rat, lecteur, tomba.

Hélas! Il tomba droit dans le potage de la reine.

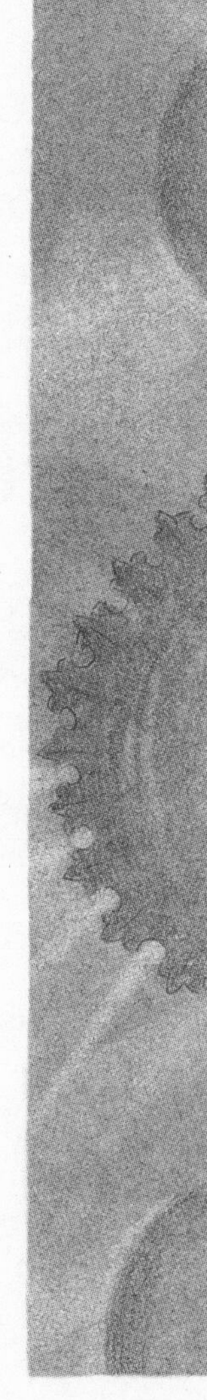

Chapitre vingt et un
Les dernières paroles de la reine

LA REINE ADORAIT la soupe. Elle l'aimait pardessus tout, excepté la princesse Petit Pois et le roi. Et parce que la reine raffolait de ce mets, on en servait à tous les banquets, tous les dîners, tous les soupers.

Et pas n'importe quelle soupe, s'il vous plaît! L'amour et le respect de Cuisinière pour la reine au palais délicat avaient hissé les potages qu'elle concoctait au rang d'œuvres d'art.

Ce jour-là, en ce banquet particulier, Cuisinière s'était surpassée. Son velouté était un prodige, délicat mélange de poulet, de cresson et d'ail. D'ailleurs, Roscuro, en réapparaissant à la surface du vaste bol, ne put s'empêcher d'en lamper quelques gorgées.

— Délicieux! s'émerveilla-t-il, oubliant un instant ses malheurs. Divin!

— Regardez! hurla Pipa, le doigt braqué sur lui. Regardez! C'est un rat. Je vous avais bien dit qu'il y avait un rat suspendu au lustre. Et voilà qu'il se retrouve dans la soupe de maman!

Les musiciens cessèrent de jouer, le jongleur cessa de jongler, les nobles convives cessèrent de manger.

La reine regarda Roscuro.

Roscuro regarda la reine.

Lecteur, par souci d'honnêteté, il me faut ici annoncer une dure vérité : les rats ne sont pas de belles créatures. Ils ne sont même pas mignons. Ce sont de très vilaines bestioles, surtout quand l'une d'elles se retrouve par hasard dans votre soupe, des bouts de cresson accrochés à ses moustaches.

Un long silence s'installa, que rompit Roscuro.

— Je vous demande pardon, dit-il à la reine.

Pour toute réponse, celle-ci envoya valser sa cuillère et

émit un bruit inconcevable et absolument indigne d'une reine, quelque chose entre le hennissement d'un cheval et le grognement d'un cochon, un bruit qui ressemblait à ceci : hiiiiiiiiiiiiggrrrrrrrr!

— Il y a un rat dans ma soupe, ajouta-t-elle ensuite.

Car la reine, âme simple, avait passé sa vie à énoncer les évidences les plus absolues. Elle mourut comme elle avait vécu.

« Il y a un rat dans ma soupe » furent ses dernières paroles. Portant les mains à sa poitrine, elle tomba en arrière, renversant sa royale chaise avec fracas. La salle des banquets explosa : on lâcha les cuillères, on culbuta les sièges.

— Qu'on la sauve! tempêtait le roi. Il faut la sauver!

Les soldats s'y employèrent.

Roscuro, lui, s'extirpa du potage. Il comprit que, dans les circonstances, il valait mieux s'éclipser. Mais alors qu'il détalait sur la nappe, les mots du prisonnier qu'il avait tourmenté lui revinrent – ses regrets de ne s'être pas retourné vers la fille qu'il avait abandonnée. C'est pourquoi Roscuro se retourna.

Ce fut, hélas, pour constater que la princesse le toisait, les yeux pleins de dégoût et de colère. « Regagne les oubliettes! » disait ce regard. « Rejoins les ténèbres auxquelles tu appartiens! »

Ce regard, lecteur, brisa le cœur de Roscuro.

Tu pensais que les rats n'ont pas de cœur? Faux. Toute créature vivante a un cœur. Dès lors, le cœur de toute créature vivante est susceptible de se briser.

Si Roscuro ne s'était pas retourné, son cœur ne se serait sans doute pas brisé, et j'aurais fort bien pu ne plus avoir d'histoire à raconter.

Malheureusement, lecteur, il s'était retourné.

Chapitre vingt-deux
Comment il recolla les morceaux de son cœur

ROSCURO S'ENFUIT.

— Un rat, marmonna-t-il en portant une patte à son cœur. Je suis un rat. Et la lumière n'est pas pour les rats. La lumière n'est pas pour moi.

Les soldats du roi étaient toujours penchés au-dessus de la reine. Le roi continuait à hurler :

— Sauvez-la! Sauvez-la!

Quant à la reine, elle était toujours aussi morte, bien sûr.

Tout à coup, Roscuro tomba nez à nez avec la cuillère à soupe royale qui était tombée par terre.

— J'aurai quelque chose de beau.
Et j'aurai aussi ma vengeance.

— Au moins, j'aurai quelque chose de beau, gronda-t-il. Je suis un rat, mais j'aurai quelque chose de beau. J'aurai une couronne à moi.

Il ramassa la cuillère et la mit sur sa tête.

— Oui, reprit-il, j'aurai quelque chose de beau. Et j'aurai aussi ma vengeance.

Il est des cœurs, lecteur, qui ne guérissent jamais de s'être brisés. Ou alors, ils cicatrisent mal, comme s'ils avaient été rafistolés par un artisan maladroit. Tel fut le destin de Chiaroscuro. Son cœur fut brisé. Ramasser la cuillère, s'en coiffer, jurer de se venger – tout cela l'aida à en recoller les morceaux. Mais, hélas, son cœur fut réparé de travers.

— Où est le rat? cria le roi. Trouvez-moi ce rat!

— Si tu me veux, marmotta Roscuro en décampant, tu me trouveras dans les oubliettes. Dans les ténèbres.

Chapitre vingt-trois
Répercussions

LE COMPORTEMENT de Roscuro eut évidemment de sinistres répercussions. Tout acte, lecteur, aussi petit soit-il, a des conséquences. Par exemple, le jeune Roscuro avait rongé la corde de Grégoire le geôlier et, partant de là, une allumette avait été allumée sous son museau, embrasant son âme.

Son âme avait pris feu et, partant de là, le rat avait gagné les étages du château à la recherche de la lumière. Là-haut, dans la salle des banquets, la princesse Petit Pois l'avait repéré et avait prononcé le mot « rat »; partant de là, Roscuro était tombé dans le potage de la reine, et la reine en était morte. Tu vois donc, lecteur, que tout s'enchaîne. Tu constates que chaque acte a des répercussions.

C'est ainsi, lecteur – si tu me permets de continuer à méditer sur les conséquences des actes – que, la reine étant morte en mangeant sa soupe, le roi, le cœur brisé, interdit celle-ci. Partant de là, furent également bannis tous les objets qui servaient à la préparer et à la manger : les cuillères et les louches, les bols et les écuelles, les marmites et les soupières. On alla les enlever à tous les habitants du royaume et on les entassa dans les oubliettes.

Et parce que Roscuro avait été ébloui par la lumière d'une allumette, avait voyagé dans les étages du château et était tombé dans le potage de la reine, qui en était morte, le roi ordonna qu'on mette à mort tous les rats du pays.

Bravement, les soldats descendirent dans les oubliettes. Le seul problème, c'est que, pour tuer un rat, il faut d'abord le *trouver*. Et quand un rat ne veut pas être trouvé, lecteur, on ne le trouve pas.

Les soldats du roi ne réussirent qu'à s'égarer dans le labyrinthe compliqué des oubliettes. Certains se perdirent à jamais et moururent dans les entrailles du château.

Partant de là, l'exécution des rats ne fut pas un succès. Désespéré, le roi Philippe les déclara hors-la-loi. Il les proscrivit, comme la soupe.

Bien entendu, c'était un édit ridicule, puisque les rats sont proscrits de naissance.

Comment interdire ce qui est déjà interdit? C'est une perte de temps et d'énergie.

Néanmoins, le roi signa un décret officiel par lequel les rats du royaume étaient désormais proscrits et devaient être traités comme des clandestins. Quand on est roi, on a le droit de promulguer autant de lois ridicules qu'on veut. Ça sert à ça, d'être roi.

Cependant, lecteur, n'oublions pas que le roi Philippe aimait la reine et que, sans elle, il était perdu. Tel est le grand danger de l'amour : aussi puissant soit-on, quel que soit le nombre de royaumes sur lesquels on règne, on ne peut empêcher ceux qu'on aime de mourir. Rendre la soupe illégale, bannir les rats permirent d'apaiser le pauvre cœur du roi. Alors, pardonnons-lui.

Et les rats proscrits? me demanderas-tu, lecteur. Et *un* rat proscrit en particulier?

Et Chiaroscuro?

Retourné aux ténébreuses oubliettes, il se blottit dans son nid, la cuillère sur la tête, et s'attela à se fabriquer une cape de roi à partir d'un lambeau de la nappe rouge. Assis à côté de lui, le vieux Botticelli Remorso balançait son médaillon d'avant en arrière, d'avant en arrière, d'avant en arrière... en disant :

— Tu vois ce qui arrive, quand un rat monte là-haut? J'espère que ça te servira de leçon. Ton boulot ici-bas est de faire souffrir les autres.

— Je sais, marmotta Roscuro. Et c'est exactement à ça que je compte m'employer désormais. La princesse souffrira pour avoir osé me regarder comme elle l'a fait.

Tandis que Roscuro cousait et réfléchissait, Grégoire le geôlier, agrippé à sa corde, se frayait un chemin dans le noir et, dans une cellule humide, le prisonnier qui avait autrefois possédé une nappe rouge et ne possédait maintenant plus rien passait ses jours et ses nuits à pleurer doucement.

Au-dessus des oubliettes, tout là-haut dans le château, un souriceau se tenait à l'écart de ses frères et sœurs et tendait l'oreille vers un doux son qu'il ne savait pas encore nommer.

L'amour de la souris pour la musique allait avoir des répercussions. Toi, lecteur, en connais déjà quelques-unes. La musique conduirait le souriceau à une princesse. Il en tomberait amoureux.

En parlant de conséquences, le soir même où Despereaux entendait la musique pour la première fois, dehors, dans le crépuscule obscur, des conséquences futures approchaient du château sous la forme d'un chariot conduit par un soldat du roi et chargé de cuillères et de louches, d'écuelles et de bols, de soupières et de marmites. À côté du soldat était assise une jeune fille dont les oreilles ressemblaient de façon étonnante à des morceaux de chou-fleur qu'on lui aurait collés sur les côtés du crâne.

La jeune fille, lecteur, s'appelait Rosie Latruie. Et bien qu'elle l'ignorât encore, elle allait jouer un rôle décisif dans la vengeance du rat.

Fin du livre deuxième

Livre

TROISIÈME

Boudiou!
L'histoire de Rosie Latruie

Chapitre vingt-quatre
Une poignée de cigarettes, une nappe rouge et une poule

UNE FOIS ENCORE, lecteur, il nous faut repartir en arrière si nous voulons progresser. Cela dit, commence ici la courte histoire de la vie de Rosie Latruie, une fille venue au monde des années avant la souris Despereaux et le rat Chiaroscuro, une fille née loin du château, et prénommée Rosie en l'honneur de la truie favorite de son père, celle qui gagnait toujours des prix dans les foires agricoles.

Rosie Latruie avait six ans quand sa mère mourut en lui tenant la main et en la fixant droit dans les yeux.

— Maman? dit Rosie. Ne me quitte pas, maman!

— Oh! soupira la mère. Qui parle? Qui me tient la main?

— C'est moi, maman, Rosie Latruie.

— Ah, laisse-moi partir, mon enfant.

— Mais je veux que tu restes! insista Rosie en frottant son nez morveux et ses yeux humides.

— Tu veux?

— Oui!

— Mon enfant, ce que tu veux n'a aucune importance, lui répondit sa mère.

Elle serra la main de sa fille, une fois, deux fois, puis elle mourut, abandonnant Rosie aux soins de son père qui, au printemps suivant immédiatement le décès de sa femme, la vendit, un jour de marché, contre une poignée de cigarettes, une nappe rouge et une poule.

— Papa? appela Rosie en le voyant prêt à partir, la poule dans les bras, une cigarette à la bouche et la nappe rouge drapée sur ses épaules, telle une cape.

— Tout va bien, Rosie, lui répondit-il. Tu appartiens à cet homme, maintenant.

— Mais je ne veux pas! Je veux rester avec toi.

Elle agrippa la nappe et tira dessus.

— Seigneur! ronchonna son père. Quelqu'un t'a

demandé ton avis? Laisse-moi!

Il dénoua les doigts de Rosie et la poussa en direction de l'homme qui l'avait acquise.

Rosie regarda son père s'éloigner dans un tourbillon de tissu rouge. Cet homme abandonna son enfant et, comme tu le sais déjà, lecteur, il ne se retourna pas. Même pas une toute petite fois.

Te rends-tu compte? Envisages-tu ton père t'échangeant contre une nappe, une poule et une poignée de cigarettes? Ferme les yeux, s'il te plaît, et essaye d'imaginer ça un instant.

Ça y est?

J'espère que tes cheveux se sont dressés sur ta nuque à l'idée du sort de Rosie, devant l'horreur que ce serait si tu étais à sa place.

Pauvre Rosie. Que va-t-elle devenir? Aussi effrayé sois-tu, lecteur, il te faut continuer à lire pour le découvrir par toi-même.

Tel est ton devoir.

Chapitre vingt-cinq
Un cercle vicieux

ROSIE LATRUIE appela celui qui l'avait acheté « mon oncle », comme il le lui avait ordonné. Et, comme il le lui avait ordonné, elle s'occupa des moutons de mon oncle, cuisina les repas de mon oncle et astiqua la marmite de mon oncle. Elle fit tout cela sans en être jamais ni remerciée ni félicitée.

L'autre aspect déplaisant de la vie avec mon oncle, c'était qu'il aimait beaucoup donner à Rosie ce qu'il désignait comme « une bonne taloche sur l'oreille ». Mettons au crédit de mon oncle qu'il demandait toujours à la jeune fille si elle voulait ou non recevoir la taloche en question.

Ça se passait à peu près comme suit :

Mon oncle : Je croyais t'avoir demandé de nettoyer la marmite.

Rosie : Boudiou, mon oncle, je l'ai lavée! Je l'ai bien lavée!

Mon oncle : Ah mais elle est très sale! Il va falloir que je te punisse.

Rosie : Boudiou, mon oncle! J'ai nettoyé la marmite.

Mon oncle : Me traiterais-tu de menteur?

Rosie : Non, mon oncle.

Mon oncle : Tu as envie d'une bonne taloche sur l'oreille, par hasard?

Rosie : Non merci, mon oncle.

Hélas! Mon oncle semblait aussi indifférent aux désirs de Rosie que l'avaient été sa mère et son père. La fameuse claque tombait toujours... et toujours, j'en ai peur, avec beaucoup d'enthousiasme de la part de mon oncle (alors qu'elle était toujours reçue avec beaucoup moins d'enthousiasme par Rosie).

Ces taloches s'abattaient avec une fréquence alarmante. Et mon oncle était très juste envers chacune des oreilles de la jeune Rosie Latruie. C'est ainsi que, au bout de quelque temps, elles en vinrent à moins ressembler à des oreilles qu'à des choux-fleurs qu'on lui aurait collés de chaque côté de la tête.

Du même coup, elles devinrent à peu près aussi utiles que des choux-fleurs. C'est-à-dire qu'elles cessèrent de fonctionner en tant qu'oreilles. Les mots perdirent d'abord leur tranchant, puis ils devinrent complètement confus et cotonneux, et Rosie finit par avoir beaucoup de mal à leur donner un sens.

Moins elle entendait, moins elle comprenait. Moins elle comprenait, plus elle commettait d'erreurs. Plus elle commettait d'erreurs, plus elle recevait de bonnes taloches sur les oreilles et moins elle entendait. C'est ce qu'on appelle un cercle vicieux, et Rosie Latruie se retrouva prise en plein dedans.

Une place, lecteur, qu'on ne voudrait pour rien au monde.

Mais, comme tu le sais déjà, ce que voulait Rosie Latruie n'intéressait personne.

Chapitre vingt-six
La famille royale

QUAND ROSIE eut sept ans, il n'y eut ni gâteau ni fête, ni cadeaux ni chansons, rien qui pût laisser entendre que c'était son anniversaire, mis à part Rosie elle-même annonçant :

— J'ai sept ans, aujourd'hui, mon oncle.

— Je t'ai demandé ton âge? File avant que je te donne une bonne taloche sur l'oreille!

Quelques heures après avoir reçu sa taloche d'anniversaire, Rosie était dans les champs avec les moutons de mon oncle quand elle aperçut un rougeoiement qui scintillait au loin. D'abord, elle crut qu'il s'agissait du soleil. Mais lorsqu'elle se retourna, elle constata que celui-ci se trouvait – comme prévu – à l'ouest, bas sur l'horizon, en train de se coucher.

Ce qui brillait avec autant d'éclat était forcément autre chose. Rosie mis sa main en visière au-dessus de ses yeux et regarda la resplendissante lumière approcher peu à peu, jusqu'à ce qu'elle prenne les traits du roi Philippe, de la reine Rosemarie et de leur fille, la jeune princesse Petit Pois.

La famille royale était entourée de chevaliers en armures étincelantes montés sur des chevaux en caparaçons flamboyants. Chaque tête royale était coiffée d'une couronne en or, et le roi, la reine et la princesse étaient vêtus de longues tuniques ornées de pierres précieuses et de broderies chatoyantes qui miroitaient et sur lesquelles se reflétaient les ultimes rayons du soleil.

— Boudiou! marmonna Rosie.

La princesse Petit Pois chevauchait un poney blanc qui levait très haut les pattes et les reposait délicatement à terre. Pipa remarqua la petite fille, debout en train de l'admirer, et elle agita le bras dans sa direction.

— Boudiou! marmonna Rosie.

— Bonjour! lança-t-elle joyeusement. Bonjour!

Au lieu de retourner le geste, Rosie resta plantée là, bouche bée, éberluée par cette famille si magnifique et tellement parfaite.

— Papa, demanda la princesse au roi, qu'est-ce qu'elle a, cette fille? Elle ne me salue pas.

— Ignore-la, chérie. Elle n'a aucune importance.

— Mais je suis une princesse. Je lui ai fait un signe de la main. Elle devrait me répondre.

Quant à Rosie, elle continuait de les contempler avec ahurissement. Le spectacle des membres de la famille royale avait réveillé en elle un besoin profondément endormi, comme si la splendeur qui émanait du roi, de la reine et de la princesse avait allumé une petite chandelle.

Pour la première fois de sa vie, lecteur, Rosie se prit à espérer.

Et l'espoir est comme l'amour : ridicule, formidable et puissant.

Rosie tenta d'identifier cette étrange émotion. Portant la main à l'une de ses oreilles douloureuses, elle comprit que ce qu'elle éprouvait – cet espoir qui s'épanouissait en elle –

était l'exact contraire d'une bonne taloche.

Souriant, elle ôta la main de son oreille et l'agita en direction de la princesse.

— Aujourd'hui, c'est mon anniversaire! cria-t-elle.

Mais le roi, la reine et la princesse étaient trop loin pour l'entendre.

— Aujourd'hui, hurla Rosie, j'ai sept ans!

Chapitre vingt-sept
Un souhait

CETTE NUIT-LÀ, dans la petite cabane sombre qu'elle partageait avec mon oncle et les moutons, la jeune fille tenta de raconter ce qu'elle avait vu.

— Mon oncle?

— Quoi?

— J'ai vu des hommes-étoiles, aujourd'hui.

— Comment ça?

— Ils scintillaient de partout, il y avait une petite princesse qui avait sa couronne à elle et un petit cheval blanc qui marchait sur la pointe des sabots.

— Qu'est-ce que c'est que ces histoires?

— J'ai vu un roi et une reine et une petite princesse! cria Rosie.

— Et alors? répondit mon oncle sur le même ton.

— Je voudrais...

Rosie s'interrompit, soudain timide.

— J'aimerais tant être une princesse, reprit-elle.

— Ha! s'esclaffa mon oncle. Ha! Un laideron aussi bête que toi? Tu ne vaux même pas le prix énorme que je t'ai payée. Si tu savais combien je regrette d'avoir échangé cette bonne poule et cette nappe rouge contre toi! Ô, comme je regrette! Toutes les nuits. Cette nappe avait la couleur du sang, cette poule pondait comme personne.

— Je voudrais être une princesse, s'entêta Rosie. Pour avoir une couronne.

— Une couronne! ricana mon oncle. La voilà qui a envie d'une couronne!

Hurlant de rire, il attrapa la marmite et s'en coiffa.

— Regarde-moi! s'exclama-t-il. Je suis roi. Tu la vois, ma couronne? Maintenant, je suis roi, comme j'en ai toujours rêvé! Je suis roi parce que je veux être roi.

Il dansa autour de la cabane, la marmite sur la tête. Il rit jusqu'à en pleurer. Puis il cessa de danser, retira la casserole de sa tête, regarda Rosie et lança :

— Est-ce que tu veux une bonne taloche sur l'oreille, pour avoir raconté toutes ces bêtises?

— Non, merci, mon oncle.

La claque tomba quand même.

— Écoute-moi bien, gronda mon oncle après l'avoir assénée, que je n'entende plus parler de princesses, compris? D'ailleurs, qui ça intéresse, ce que tu veux, hein?

Lecteur, la réponse à cette question, comme tu sais, est : personne, absolument personne.

Chapitre vingt-huit
En route pour le château

LES ANNÉES S'ÉCOULÈRENT. Rosie les passa à récurer la marmite, à surveiller les moutons, à nettoyer la cabane et à recevoir d'innombrables et fort douloureuses taloches sur les oreilles. Le soir, au coucher du soleil, printemps comme hiver, été comme automne, debout dans le champ, elle scrutait l'horizon, espérant de tout cœur que la famille royale passerait devant elle.

— Boudiou! Qu'est-ce que je ne donnerais pas pour revoir cette petite princesse! Et son poney aussi, celui qui marche sur la pointe des sabots.

Ce désir, ce rêve de pouvoir contempler une nouvelle fois la princesse, était enfoui au plus profond du cœur de

Rosie. Juste à côté de l'espoir qu'elle, Rosie Latruie, deviendrait princesse, un jour, en personne.

Le premier souhait de Rosie fut exaucé, de façon détournée, lorsque le roi Philippe déclara le potage illégal. Ses soldats furent envoyés pour apprendre la mauvaise nouvelle aux habitants du royaume et leur confisquer leurs marmites, leurs cuillères et leurs écuelles.

Tu te rappelles, lecteur, pourquoi et comment cette loi avait été édictée. Tu ne seras donc pas aussi surpris que mon oncle quand, un dimanche, un soldat du roi frappa à la porte de la cabane que partageaient Rosie, mon oncle et les moutons pour annoncer que la soupe était désormais interdite.

— Comment ça? demanda mon oncle.

— Par décret royal du roi Philippe, expliqua le soldat. Je suis venu t'informer que la soupe a été interdite. Sur ordre du roi, tu n'en mangeras plus. Il est également interdit d'y penser et d'en parler. En tant que fidèle serviteur, je suis chargé de te débarrasser de tes cuillères et louches, soupières et marmites, écuelles et bols.

— Mais c'est impossible! protesta mon oncle.

— Pas du tout.

— Que va-t-on manger? Et avec quoi?

— Du gâteau? suggéra l'autre. Avec une fourchette.

— Quelle bonne idée! railla mon oncle. Il faudrait encore qu'on ait les moyens de s'en offrir, du gâteau!

— Je me contente d'obéir aux ordres, répliqua le soldat en haussant les épaules. Je te prie de bien vouloir me donner tes cuillères, tes écuelles et ta marmite.

Mon oncle s'arracha la barbe. Puis il s'arracha les cheveux.

— Scandaleux! s'écria-t-il. J'imagine qu'après, tu voudras prendre mes moutons et ma fille, vu que ce sont les seuls biens qui me restent.

— Tu *possèdes* une fille?

— Oui. Une incapable, mais elle est à moi quand même.

— Ah, murmura le soldat. J'ai bien peur que ce soit illégal aussi, ça. Aucun humain n'a le droit d'en posséder un autre, dans notre royaume.

— Eh! Mais je l'ai payée! s'exclama mon oncle. Elle m'a coûté une bonne poule pondeuse, une poignée de cigarettes et une nappe rouge sang.

— Ça m'est égal. Il est interdit de posséder un être humain. Et maintenant, je te prie de me donner tes cuillères, tes bols, ta marmite et ta fille. Si tu refuses, tu devras m'accompagner et tu seras emprisonné dans les oubliettes du château. Qu'est-ce que tu choisis?

C'est ainsi que Rosie Latruie se retrouva assise sur un chariot rempli d'ustensiles pour la soupe, à côté d'un soldat du roi.

— Tu as des parents? lui demanda celui-ci. Je pourrais te ramener chez eux.

— Quoi?

— Une mère? hurla le soldat.

— Morte!

— Et ton père?

— Je ne l'ai pas revu depuis qu'il m'a vendue.

— Bon. Alors, je t'emmène au château.

— Boudiou! dit Rosie en regardant autour d'elle, un peu perdue. De quel bateau vous parlez?

— Le château! cria le soldat. Je t'emmène au château!

— Au château? Là où habite la petite princesse?

— C'est ça.

— Boudiou! Moi aussi, j'ai bien l'intention de devenir princesse un jour.

— C'est bien, de rêver.

Sur ce, le soldat fit claquer sa langue et les rênes, et ils partirent.

— Je suis bien contente de m'en aller, annonça Rosie en effleurant ses oreilles en chou-fleur.

— Tu as raison! Autant être heureuse, puisque tout le monde se fiche que tu le sois ou non. Au château, ils te trouveront une place. Tu ne seras plus une esclave. Tu seras une servante payée.

— Quoi?

— Une servante! cria l'homme. Plus une esclave!

— Boudiou! se réjouit Rosie. Je vais être une servante!

Elle avait alors douze ans. Sa mère était morte. Son père l'avait vendue. Son oncle, qui n'était pas du tout son oncle, l'avait talochée jusqu'à ce qu'elle devienne quasiment sourde. Et, par-dessus tout, elle voulait devenir une princesse avec couronne dorée et cheval blanc levant les pattes bien haut.

Es-tu d'avis, lecteur, qu'il est abominable d'espérer quand on n'a aucune raison d'espérer? Ou, comme le soldat l'a dit pour ce qui est d'être heureux, que c'est une chose qu'on peut bien se permettre puisque, en fin de compte, tout le monde s'en fiche?

Chapitre vingt-neuf
D'abord la référence, puis le fil

LA CHANCE DE ROSIE LATRUIE ne s'arrêta pas là. Le premier jour de son nouvel emploi comme servante au château, on l'envoya en effet porter du fil rouge à la princesse.

— Attention! l'avertit la gouvernante, une femme sévère prénommée Louise. Il s'agit d'un membre de la famille royale, n'oublie pas de t'incliner.

— Quoi? hurla la jeune fille.

— Tu dois faire une révérence! cria Louise.

— Boudiou! À vos ordres, madame!

Prenant la bobine de fil, Rosie s'en fut par les escaliers dorés jusqu'à la chambre de la princesse tout en se parlant à elle-même.

— Dire que je vais rencontrer la princesse! marmottait-elle. Moi, Rosie Latruie, je vais m'approcher de la princesse un peu comme si on se connaissait. Et d'abord, je dois faire la référence parce qu'elle est royale.

Une fois devant la porte, Rosie fut néanmoins assaillie par le doute. Serrant bien fort sa bobine, elle hésita.

— Comment je m'y prends? Je donne le fil, puis je fais la référence? Non, non! D'abord la référence, puis le fil. C'est ça. Boudiou! C'est ça, le bon ordre. D'abord la référence, puis le fil.

Elle frappa.

— Entrez! lança Pipa.

N'entendant rien, la jeune fille frappa de nouveau.

— Entrez! répéta Pipa.

N'entendant toujours rien, Rosie cogna encore. « C'est étrange, pensa-t-elle, la princesse n'est pas là. » À cet instant, le battant s'ouvrit en grand, et Petit Pois apparut et regarda Rosie droit dans les yeux.

— Boudiou! s'exclama celle-ci, complètement ahurie.

— Bonjour. Tu es la nouvelle servante? As-tu apporté mon fil?

— Ma référence! beugla Rosie.

Elle rassembla ses jupes, laissa tomber sa bobine, tendit le pied et marcha au passage sur la bobine. Elle vacilla pendant un très long moment (du moins, c'est l'impression qu'eurent et la princesse médusée et la pauvre Rosie), et finit par s'étaler, les quatre fers en l'air – boum!

— Houlà! cria Rosie Latruie.

Pipa ne put pas s'en empêcher – elle éclata de rire.

— Tout va bien, dit-elle en secouant la tête. Ce sont les intentions qui comptent.

— Quoi?

— Ce sont les intentions qui comptent, répéta Petit Pois plus fort.

— Merci bien, mademoiselle.

Rosie se releva lentement. Elle dévisagea la princesse, puis se perdit dans la contemplation de ses pieds.

— D'abord la référence, puis le fil, marmotta-t-elle.

— Pardon? demanda Pipa.

— Boudiou! Le fil!

— *Houlà! cria Rosie Latruie.*

Tombant aussitôt à genoux, Rosie mit la main sur la bobine, se releva et la tendit à Pipa.

— Je vous ai apporté votre fil.

— Magnifique! Merci beaucoup. Je n'arrivais pas à en trouver. Toutes les bobines de fil rouge semblent avoir disparu.

— Vous faites quoi? demanda Rosie en lorgnant sur l'ouvrage de Petit Pois.

— Je brode une histoire de la vie, de ma vie. Tu vois, là, c'est le roi mon père. Il joue de la guitare parce qu'il adore ça et qu'il se débrouille plutôt bien. Et voici la reine ma mère en train de manger sa soupe parce qu'elle en raffolait.

— De la soupe! Mais c'est hors-la-loi, boudiou!

— Oui. Mon père l'a interdite parce que ma mère est morte en mangeant du potage.

— Votre maman est morte?

— Oui, le mois dernier, précisa la princesse en mordant ses lèvres tremblantes.

— Ça alors! reprit Rosie. Ma maman à moi aussi, elle est morte.

— Tu avais quel âge?

— Outrage? Oh, désolée, s'excusa la servante en reculant d'un pas.

— Non, non! cria Pipa. Ton âge, celui que tu avais quand ta mère est morte.

— Presque six ans.

— Je suis désolée, compatit la princesse avec un regard attendri. Et maintenant, quel âge as-tu?

— Douze ans.

— Moi aussi! Quel est ton nom?

— Rosie. Rosie Latruie. Je vous ai déjà vue, vous savez. Vous êtes passée devant moi sur un poney blanc. C'était le jour de mon anniversaire, et j'étais dans le champ avec les moutons de mon oncle, et c'était l'heure où le soleil se couche.

— T'ai-je fait un signe de la main?

— Quoi?

— Ai-je agité la main?

— Oui.

— Pourtant, tu n'as pas répondu, si je me souviens bien.

— Oui, sauf que étiez déjà loin. Un jour, je serai assise sur un petit cheval blanc, je porterai une couronne et je saluerai. Un jour, je serai une princesse, moi aussi.

Sur ce, Rosie toucha son oreille gauche.

— Vraiment? s'étonna Pipa, qui jeta un coup d'œil grave à la jeune fille mais n'ajouta rien.

Quand Rosie finit par regagner l'office, Louise l'attendait d'un pied ferme.

— Tu en as mis, du temps, pour porter une simple bobine de fil à la princesse! rugit-elle.

— Trop de temps?

— Oui, confirma Louise en lui donnant une bonne taloche sur l'oreille. Bon sang, soupira-t-elle, il n'est pas difficile de deviner que tu ne seras jamais une servante hors pair, toi.

— Non, madame, parce que, moi, je veux devenir une princesse.

— Toi, une princesse? Quelle rigolade!

Cela, lecteur, était à comprendre comme une petite plaisanterie que se permettait Louise, car elle n'était pas du genre à rire. Jamais. Même confrontée à une idée aussi ridicule que celle de Rosie Latruie se transformant en princesse.

Chapitre trente
Aux oubliettes

AU CHÂTEAU, pour la première fois de sa vie, Rosie mangea à sa faim. Et pour manger, elle mangea! Elle devint vite dodue. De plus en plus dodue, même! Elle s'arrondit et s'élargit de jour en jour. Seule sa tête resta petite.

Lecteur, en tant que narratrice de ce conte, il est de mon devoir de t'annoncer de temps en temps des vérités pas faciles à entendre. Par souci d'honnêteté, il me faut donc t'informer que Rosie était un tout petit peu paresseuse. Et, aussi, qu'elle n'était pas brillante. C'est-à-dire qu'elle n'était pas très intelligente.

Louise eut donc du mal à lui trouver un travail qu'elle

sût exécuter. Rapidement, Rosie réussit à échouer aux postes successifs de dame de compagnie (on la surprit en train d'essayer la robe du soir d'une duchesse en visite), de couturière (elle cousit le manteau du maître d'équitation à sa propre jupe et abîma les deux vêtements) et de femme de chambre (quand on l'envoyait nettoyer une pièce, elle y restait plantée, bouche ouverte, admirant avec ravissement les murs dorés, les planchers et les tapisseries, s'exclamant encore et encore : « Boudiou! C'est tellement joli, tout ça! Boudiou! C'est quelque chose! » au lieu de faire le ménage).

Tandis que la jeune fille s'essayait à ces nombreuses tâches domestiques et les ratait les unes après les autres, d'autres événements importants se déroulaient au château. Le rat arpentait les oubliettes et marmonnait dans les ténèbres, attendant l'heure de sa revanche contre la princesse. Dans les étages, la princesse rencontrait un souriceau qui tombait amoureux d'elle.

Y aura-t-il des répercussions? Et comment!

Exactement comme l'incapacité de Rosie en eut. En tout dernier recours, Louise l'envoya à Cuisinière, qui avait la réputation de savoir se débrouiller des cas les plus difficiles. Malheureusement, Rosie laissa tomber des coquilles d'œuf dans la pâte à gâteau, elle frotta le carrelage avec de l'huile de friture au lieu du produit pour laver par terre et elle éternua sur les côtelettes de porc du roi juste au moment où on allait les lui servir.

— De tous les bons à rien que j'ai rencontrés, hurla Cuisinière, tu es la pire, la plus oreillesenchoufleurisée, la plus bonne à rien de rien! Tu ne mérites qu'une seule place : les oubliettes!

— Quoi? fit Rosie, la main en cornet autour de son oreille.

— Aux oubliettes! Tu apporteras son dîner au geôlier. Ce sera ton travail, désormais.

Tu te souviens, lecteur, que les souris craignaient les oubliettes. Dois-je te préciser que les humains aussi? Elles n'étaient jamais très loin de leurs pensées. Aux grandes chaleurs, une puanteur montait de leurs noires profondeurs et imprégnaient tout le château. Durant les glaciales et venteuses nuits d'hiver, d'affreux gémissements s'en échappaient, à croire que les bâtiments eux-mêmes geignaient.

— Tu ne mérites qu'une seule place : les oubliettes!

— Ce n'est que le vent, se rassuraient les habitants du château, rien que le vent.

Plus d'une servante chargée de porter ses repas au geôlier était revenue des oubliettes pâle et sanglotante, mains tremblantes, claquant des dents, jurant qu'on ne l'y reprendrait pas. Pire encore, des rumeurs couraient, comme quoi certaines n'en étaient jamais remontées.

À ton avis, sera-ce là le destin de Rosie?

J'espère bien que non, boudiou! Que deviendrait mon histoire, sans elle?

— Écoute-moi, stupide oreillesenchoufleurisée! cria Cuisinière. Je t'explique le travail. Tu descends la nourriture, tu attends que le bonhomme ait mangé et tu rapportes le plateau. Tu t'en sens capable?

— Oui. Je porte son plateau au vieux bonhomme, il mange, et après je le rapporte. Vide.

— C'est ça. Pas compliqué, non? Mais bon, je suis sûre que tu trouveras un moyen de tout gâcher.

— Quoi?

— Rien. Bonne chance! Tu en auras besoin.

Cuisinière regarda Rosie descendre les marches. C'était

les mêmes, lecteur, que celles dans lesquelles le souriceau Despereaux avait été poussé, la veille. Mais, à la différence de Despereaux, Rosie avait de la lumière. Sur le plateau, à côté du repas, se trouvait une bougie à la flamme vacillante, destinée à éclairer ses pas. Se retournant, la jeune fille leva les yeux vers Cuisinière et lui sourit.

— Cette bonne à rien d'oreillesenchoufleurisée! soupira Cuisinière. Non mais je vous le demande, qu'est-ce qu'on va bien pouvoir faire d'une gamine qui descend aux oubliettes le sourire aux lèvres?

Pour connaître la réponse à cette question, lecteur, poursuis ta lecture.

Chapitre trente et un
Une chanson dans le noir

LA PUANTEUR DES OUBLIETTES ne dérangea pas Rosie. Sans doute parce que, lorsqu'il lui avait donné de bonnes taloches sur les oreilles, mon oncle, ratant quelquefois sa cible, lui avait assené de bonnes taloches sur le nez. Cela était arrivé suffisamment souvent pour altérer les capacités olfactives de Rosie. En tout cas, elle ne discerna pas l'épouvantable odeur de désespérance, d'impuissance et de malfaisance qui régnait sur les lieux et dégringola joyeusement les escaliers en colimaçon.

— Boudiou! Qu'est-ce qu'il fait noir, là-dedans! Tu l'as dis, ma fille, se répondit-elle à elle-même. Ah, si j'étais princesse, je brillerais tant qu'aucun endroit au monde ne me serait sombre.

Et elle entonna une petite chanson qui disait à peu près ceci :

Je ne suis pas la princesse Petit Pois,
Mais un beau jour viendra où moi.
La Pipa, oui, oui, oui, oui, ouah!
Un jour, ce sera moi, moi, ouah!

Rosie, comme tu l'imagines, lecteur, n'était pas excellente chanteuse, plutôt une criarde. Sa chansonnette contenait néanmoins, pour qui avait de l'oreille, une certaine musicalité. C'est alors que surgit des ténèbres un rat drapé dans une cape rouge et portant cuillère sur la tête.

— Miam! murmura-t-il. Quel air charmant! Exactement celui que j'espérais.

Et Roscuro d'emboîter en douce le pas à Rosie Latruie.

— Boudiou! s'écria la servante, une fois en bas des marches. C'est moi, Rosie Latruie! Je vous apporte votre manger. Venez le chercher, Maître des Entrailles!

Pas de réponse.

Le plus grand silence régnait dans les oubliettes. Pas un

silence sympathique. Menaçant. Ponctué de sons légers et terrifiants. Les glissements serpentins de l'eau suintant le long des murs et, quelque part au loin, des gémissements de souffrance. Il y avait aussi le bruit des rats vaquant à leurs occupations – griffes acérées rayant le dallage et longues queues traînant dans la fange et le sang.

Lecteur, si tu te retrouvais aux oubliettes, tu percevrais sûrement ce vacarme feutré très inquiétant.

En tout cas, *moi*, je n'y manquerais pas!

Si nous étions ensemble dans les oubliettes, nous entendrions tout cela et serions terrifiés au point de nous jeter dans les bras l'un de l'autre.

Mais Rosie Latruie, qu'entendait-elle?

C'est ça!

Rien de rien.

Alors, elle n'avait pas peur. Mais alors, pas du tout.

Elle souleva le plateau, et sa bougie éclaira faiblement le tas de cuillères, de bols et de marmites.

— Boudiou! s'exclama-t-elle. Regardez-moi ça! Je n'aurais jamais cru qu'il y avait tant de cuillères dans le vaste monde!

— C'est que le vaste monde recèle plus de secrets qu'on ne le pense, rugit quelqu'un dans le noir.

— Juste, chuchota Roscuro. Le vieux geôlier dit vrai.

— Boudiou! Qui a parlé?

Rosie se tourna en direction de la voix.

Chapitre trente-deux
Prendre garde aux rats

À LA LUEUR de la chandelle, Rosie vit Grégoire boiter vers elle, corde nouée autour de la cheville, mains tendues en avant.

— Tu as apporté son repas au geôlier, si Grégoire ne se trompe pas.

— Boudiou! marmotta la servante en reculant.

— Donne!

L'homme lui prit le plateau et s'assit sur une marmite retournée qui était tombée de la pile de vaisselle. Le plateau en équilibre sur ses genoux, il examina l'assiette cachée par un couvercle.

— Grégoire devine que, aujourd'hui encore, il n'y a pas de soupe.

— Quoi?

— Pas de soupe!

— Interdit! hurla Rosie.

— Folie! bougonna le vieillard en ôtant le couvercle. Un monde sans soupe, c'est intolérable folie.

Attrapant un pilon de poulet, il le mit dans sa bouche et le mâchonna avant de l'avaler tout entier.

— Hé! lui lança la jeune fille qui l'avait observé. Vous avez oublié les os!

— Non, je les ai mangés.

— Boudiou! s'écria Rosie en le dévisageant avec respect. Vous mangez les os! Vous êtes drôlement féroce!

Grégoire prit un autre morceau (une aile, cette fois) et l'engloutit, os compris. Puis un troisième. Rosie en béait d'admiration.

— Un jour, annonça-t-elle, soudain encline aux confidences, je serai princesse.

À ces mots, Chiaroscuro, qui l'avait suivie comme son ombre, ne put retenir une petite cabriole de joie. Dans la lumière de la bougie, son ombre dansa sur le mur, immense et redoutable.

— Grégoire te voit! l'avertit le geôlier.

Vite, Roscuro se cacha derrière les jupons de la servante.

— Quoi? demanda celle-ci. Qu'est-ce que vous dites?

— Rien. Alors, comme ça, tu as envie d'être princesse? Bah! Tout le monde nourrit des rêves plus ou moins fous. Grégoire, par exemple, aspire à un monde où la soupe serait légale. Et il soupçonne que ce rat a, lui aussi, des rêves de grandeur.

— Si tu savais! grommela Roscuro.

— Quoi? hurla Rosie.

Grégoire ne prit pas la peine de répéter. Il mit la main dans sa poche, puis tint sa serviette près de son visage et éternua, une, deux, trois fois.

— À vos souhaits! cria Rosie. À vos amours!

— Retourne à la lumière, murmura le geôlier, qui roula sa serviette en boule et la plaça à côté de l'assiette. Grégoire a fini, ajouta-t-il plus haut en tendant le plateau à la jeune fille.

— Terminé? Alors, je remonte. Cuisinière l'a bien

précisé. Descendre le plateau, attendre que le bonhomme ait mangé, rapporter le plateau là-haut. Ce sont les ordres.

— T'a-t-on également avertie de te méfier des rats?

— Quoi?

— Les rats.

— Quoi, les rats?

— Prendre garde aux rats.

— D'accord. Prendre garde aux rats.

Dissimulé derrière les jupes de Rosie, Roscuro se frotta les pattes.

— Préviens-la autant que tu veux, vieux fou, gronda-t-il. Mon heure est arrivée. Il est temps que ta corde se rompe. Mais pas de grignotis-grignotage, cette fois. Plutôt un bon coup de dents qui la coupera en deux. Enfin! Je tiens ma revanche!

Chapitre trente-trois
Un rat qui connaît son nom

EN HAUT DE L'ESCALIER, Rosie s'apprêtait à ouvrir la porte des oubliettes quand le rat l'interpella.

— Puis-je vous dire un mot?

La jeune fille regarda à droite et à gauche.

— En bas, précisa Roscuro.

Rosie contempla le sol.

— Boudiou! Mais vous êtes un rat, non? Le vieux bonhomme vient juste de me conseiller de me méfier d'eux.

Elle souleva le plateau de façon à ce que la lueur de la bougie tombe directement sur lui, éclairant au passage la cuillère en or sur sa tête et la cape rouge sang nouée autour de son cou.

— Pas de panique! la rassura Roscuro.

Il souleva sa cuillère par le manche, un peu comme un humain se serait découvert devant une dame.

— Boudiou! s'exclama la servante. Un rat bien élevé!

— En effet. Comment allez-vous?

— Mon papa avait une nappe comme votre manteau, monsieur. Du même rouge. Il l'a eue contre moi.

— Vraiment? sourit Roscuro d'un air entendu. Quelle affreuse histoire! Quelle tragédie!

Lecteur, pardonne-moi, mais nous devons faire une pause, le temps de remarquer une chose extraordinaire, tout bonnement prodigieuse. À savoir : la voix de Roscuro avait la tonalité idéale pour se frayer un chemin à travers les tortueux méandres des oreilles abîmées et enchoufleurisées de Rosie Latruie. Si bien, cher lecteur, que cette dernière entendait à la perfection chacun des mots qu'il prononçait.

— Vous avez eu votre part de malheurs, enchaîna-t-il. Est venu le temps du triomphe et de la splendeur.

— Le triomphe? La splendeur?

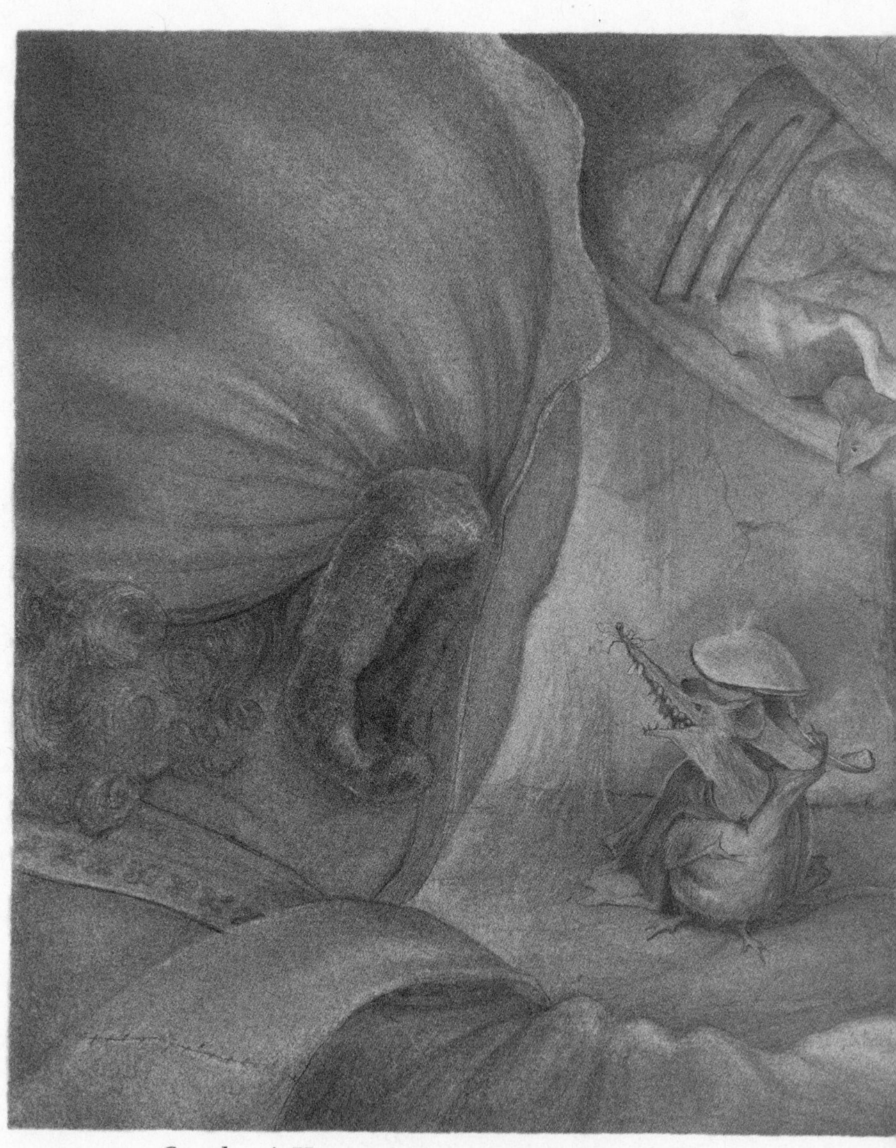

— Ça alors! Un rat qui connaît mon nom!

— Permettez-moi de me présenter. Mon nom est Chiaroscuro, mais mes amis m'appellent Roscuro. Quant à vous, vous êtes Rosie Latruie, pas vrai?

— Ça alors! Un rat qui connaît mon nom!

— Chère mademoiselle Latruie, je ne voudrais pas m'avancer à ce stade précoce de nos relations, mais est-ce que je me trompe en affirmant que vous avez des ambitions?

— Ça veut dire quoi, « ambitions »? beugla la jeune fille.

— Inutile de crier, mademoiselle. Je vous entends aussi bien que vous m'entendez. Nous sommes faits pour nous entendre.

Roscuro se permit un nouveau sourire, dévoilant une rangée de dents jaunes et aiguisées.

— Des ambitions, ma chère, reprit-il, c'est, par exemple, quand une servante désire devenir princesse.

— Boudiou! C'est exactement ce que je veux!

— Il existe, très chère, des moyens d'exaucer ce souhait. Votre rêve est parfaitement réalisable.

— Je vais remplacer la princesse Petit Pois?

— Oui, votre majesté, confirma Roscuro en ôtant la cuillère de sa tête et en s'inclinant bien bas. Oui, votre grandeur. Oui, très honorée princesse.

— Boudiou!

— M'autorisez-vous à exposer mon plan? À vous expliquer comment transformer votre rêve en réalité?

— Oui! Oh, oui!

— Tout commence par votre serviteur et une corde qu'il va lui falloir ronger.

À la faible lueur de l'unique bougie, Rosie écouta donc le rat qui parlait droit à son cœur. Roscuro était si passionné, et la servante si subjuguée, que ni l'un ni l'autre ne remarqua que la serviette posée sur le plateau bougeait. Ils n'entendirent pas non plus les petits cris – tout pareils à ceux d'une souris – qui s'en échappaient, horrifiés et incrédules, au fur et à mesure que Roscuro dévoilait, étape par étape, son projet diabolique qui condamnerait la princesse Petit Pois aux ténèbres.

Fin du livre troisième

Livre

QUATRIÈME

Retour à la lumière

Chapitre trente-quatre
Tue-les, même mortes

TU N'AVAIS PAS OUBLIÉ notre souriceau, hein, lecteur? « Retourne à la lumière », voilà ce qu'avait chuchoté Grégoire à Despereaux quand il l'avait enveloppé dans sa serviette et déposé sur le plateau.

Sa conversation avec Roscuro terminée, Rosie remonta le plateau à la cuisine.

— C'est moi, Rosie Latruie! hurla-t-elle à Cuisinière. Je reviens des entrailles obscures.

— Nous voilà drôlement soulagés! se moqua Cuisinière.

La servante déposa le plateau sur le comptoir.

— Hé! la réprimanda Cuisinière. Ce n'est pas terminé. Tu dois le débarrasser.

— Quoi?

— Débarrasse le plateau! cria la femme.

Sur ce, elle tendit la main, prit la serviette, la secoua, et... Despereaux en dégringola et atterrit droit dans une tasse à mesurer remplie d'huile – plaf!

— Ahhh! Une souris dans ma cuisine, mon huile, ma tasse à mesurer! Tue-la, Rosie!

La jeune fille pencha la tête et contempla la bestiole qui coulait lentement.

— Pauvre petite souris! dit-elle en la repêchant par la queue.

Despereaux, toussant, crachant, ébloui par la lumière violente, en aurait pleuré de joie. Sauf qu'on ne lui en laissa pas le temps.

— Tue-la! cria Cuisinière.

— Boudiou! Ne vous énervez pas!

Sans lâcher sa proie, Rosie alla chercher un couperet. Mais la queue de Despereaux, huileuse, ne cessait de lui glisser des doigts, et quand elle attrapa le gros couteau, la servante perdit sa prise. Despereaux s'écrasa par terre. Rosie baissa les yeux sur le petit tas de fourrure.

— Boudiou, ça l'a achevé! Pour sûr!

— Tue-la quand même! s'emporta Cuisinière. C'est ma philosophie, avec les souris. Tue-les vivantes, tue-les mortes. Comme ça, tu es sûre d'obtenir un cadavre, et c'est le seul état où elles sont acceptables.

— Tue-les, même mortes! Voilà une belle absurdité.

— Dépêche-toi, stupide oreillesenchoufleurisée!

Despereaux leva la tête. Le soleil de l'après-midi brillait à travers les vastes fenêtres de la cuisine. Il eut le temps de songer que la lumière était un miracle avant que cette dernière ne disparaisse, cachée par l'énorme visage de Rosie. La jeune fille l'observait avec ahurissement.

— Tu ne vas pas te sauver, petite souris?

Despereaux se perdit un moment dans ces yeux pleins de compassion quand, soudain, un éclair l'aveugla tandis que retentissait le bruit du couperet fendant l'air, abattu, encore et encore, par la servante. Ressentant une douleur fulgurante dans l'arrière-train, le souriceau bondit sur ses pattes et décampa. Ô, lecteur comme il décampa! Un vrai professionnel. Zigzaguant à gauche et à droite.

— Boudiou! Je l'ai ratée!

— Boudiou! Je l'ai ratée!

— Je l'aurais parié! se lamenta Cuisinière en voyant Despereaux se glisser sous la porte du garde-manger.

— Je lui ai quand même coupé la queue, se défendit Rosie qui ramassa son trophée et le brandit, triomphante.

— Et tu comptes en faire quoi? Je te signale que le reste de la bestiole a fichu le camp dans les provisions!

— J'en sais rien, répondit Rosie en se préparant à encaisser la bonne taloche sur l'oreille que Cuisinière semblait lui réserver.

Chapitre trente-cinq
Le chevalier à l'armure étincelante

DESPEREAUX, LUI, se posait la question inverse. Il ne se demandait pas ce qu'il allait faire de sa queue, mais plutôt comment il allait s'en passer. Assis sur un sac de farine haut perché, il pleura sur sa perte.

La souffrance de son derrière était intense et il en pleurait. Mais il versa aussi des larmes de joie. Il avait réussi à sortir des oubliettes. Il était retourné à la lumière. Il avait été épargné juste à temps pour sauver la princesse Petit Pois du destin abominable que le rat lui réservait.

Despereaux, donc, pleura de joie, de douleur et de gratitude. Il pleura d'épuisement, de désespoir et de confiance en l'avenir. Il pleura, animé par toutes les émotions que peut ressentir un minuscule souriceau qui a été condamné à mort, puis en a réchappé à temps pour voler au secours de sa bien-aimée.

Notre héros, lecteur, sanglota de tout son cœur.

Puis il s'allongea sur le sac de farine et s'endormit. À l'extérieur du château, le soleil se coucha, les étoiles apparurent une à une, puis laissèrent de nouveau place au soleil, sans que Despereaux se réveille.

Il rêva.

Il rêva des vitraux colorés et des sombres oubliettes. Dans les songes de Despereaux, la lumière, brillante et glorieuse, prenait vie sous l'aspect d'un chevalier brandissant une épée. Il combattait les ténèbres.

Celles-ci épousaient des tas de formes différentes. Elles étaient d'abord la mère de Despereaux, marmonnant. Puis elles devenaient son père battant le tambour, puis Sentinelle, coiffé d'un capuchon noir et secouant la tête. Enfin, un énorme rat au diabolique sourire aiguisé.

— L'obscurité! cria Despereaux en tournant la tête à

gauche. La lumière, murmura-t-il en tournant la tête à droite.

Il héla le chevalier. Il hurla :

— Qui êtes-vous? Me sauverez-vous?

Mais l'apparition ne lui répondit pas.

— Dites-moi qui vous êtes! supplia le souriceau.

Le chevalier cessa d'agiter son épée et le regarda :

— Tu me connais, lança-t-il.

— Non.

— Oui.

Lentement, il retira son heaume, révélant... un grand vide. Il n'y avait rien sous l'armure.

— Oh non! gémit Despereaux. Non! Il n'y a pas de chevalier en armure étincelante. Ce ne sont que des mensonges, comme « tout est bien qui finit bien. »

Alors, lecteur, le minuscule souriceau se mit à pleurer dans son sommeil.

Chapitre trente-six
Ce que Rosie transportait

TANDIS QUE la souris dormait, Roscuro mit en branle son plan maléfique. Aimerais-tu savoir, lecteur, en quoi ce dernier consistait? Je te préviens, il n'est pas joli joli. Il est violent. Il est cruel. Mais les histoires pas jolies jolies méritent aussi d'exister, j'imagine. Comme tu le sais (car tu as suffisamment vécu sur cette terre pour t'être rendu compte d'une ou deux petites choses), tout ne peut pas toujours être douceur et lumière.

Écoute donc comment cela se passa. Pour commencer, le rat termina, une bonne fois pour toutes, ce qu'il avait commencé si longtemps auparavant : il rongea complètement la corde de Grégoire, et le geôlier se perdit dans le labyrinthe des oubliettes. Puis, au profond de la nuit, quand le château fut endormi, la servante Rosie Latruie monta jusqu'à la chambre à coucher de la princesse.

À la main, elle tenait une bougie et, dans son tablier, elle avait glissé deux objets menaçants : dans la poche droite, bien caché au cas où elle croiserait quelqu'un, un rat coiffé d'une cuillère et drapé d'une cape rouge; dans la gauche, le couperet, le même qu'elle avait utilisé pour couper la queue d'un certain souriceau.

Rosie transportait donc une chandelle, un rat et un couperet tout en grimpant, là-haut, tout là-haut.

— Boudiou! cria-t-elle au rat. Il fait drôlement noir, hein?

— Oui, oui, murmura Roscuro dans sa poche. Vous avez raison, ma chère.

— Quand je serai princesse...

— Chut! l'interrompit l'autre. Puis-je vous suggérer de garder pour vous nos glorieux plans futurs? Et également de baisser la voix? Après tout, nous sommes en mission secrète. Savez-vous chuchoter, ma chère?

— Oui! cria Rosie.

— Alors, je vous en prie, tâchez de mettre ce savoir en pratique.

— Boudiou! marmotta la jeune fille. Compris.

— Merci. Dois-je revoir avec vous notre plan d'action?

— J'ai tout dans la tête, assura la servante en se tapotant la tempe du doigt.

— Bien. Mais mieux vaudrait réviser quand même, très chère. Rien qu'une fois. Juste pour en être sûr.

— Eh bien, on entre dans la chambre de la princesse, où elle ronflera à poings fermés. Je la réveille, je lui montre le couteau et je lui dis : « Si vous voulez être épargnée, princesse, obéissez-moi. »

— Vous ne lui ferez aucun mal.

— Non. Parce que je veux qu'elle vive pour devenir ma dame de compagnie quand je serai princesse.

— Parfaitement. Ce sera une vengeance d'une divine cruauté.

— Boudiou! Une vengeance d'une divine cruauté.

Rosie n'avait, évidemment, aucune idée de ce que ces mots signifiaient, mais elle aimait beaucoup la façon dont ils sonnaient, et elle se les répéta jusqu'à ce que Roscuro la coupe :

— Et ensuite?

— Ensuite, je lui ordonne de sortir de son lit de princesse et de m'accompagner pour un petit voyage.

— Ha! ricana Roscuro. Un voyage! Bravo! Ha! J'adore ce que cache cette phrase. Oh, pour un petit voyage, ça va être un très petit voyage.

— Et après, reprit Rosie, qui en arrivait à son étape favorite du plan, on l'emmène dans les entrailles obscures, on lui donne quelques bonnes leçons de servante, elle me donne quelques petites leçons de princesse et quand on a fini d'étudier, on échange nos places. Je deviens princesse et elle devient servante. Boudiou!

Lecteur, tel était en effet le plan que Roscuro avait exposé à Rosie quand il l'avait rencontrée. C'était, bien sûr, un plan ridicule.

Personne ne prendrait jamais Rosie pour la princesse ou la princesse pour Rosie. Pas un instant. Mais Rosie Latruie, comme je te l'ai laissé entendre, n'était pas brillante. Et, lecteur, elle souhaitait désespérément devenir princesse. Elle le voulait à un point inimaginable. C'est à cause de ce souhait immense qu'elle crut de tout son cœur au plan de Roscuro.

Les vraies intentions du rat étaient, en réalité, beaucoup plus simples et affreuses. Il comptait entraîner la princesse vers la partie la plus profonde et la plus noire des oubliettes. Il comptait ordonner à Rosie d'enchaîner les mains et les pieds de la princesse. Et il comptait garder la princesse étincelante, resplendissante et riante dans les ténèbres.

À tout jamais.

Chapitre trente-sept
Une cuillerée de soupe

ELLE DORMAIT et rêvait que la reine sa mère lui tendait une cuillerée de soupe en disant :

— Goûte, Petit Pois ma chérie, goûte ça et dis-moi ce que tu en penses.

La princesse se penchait en avant, avalait un peu de potage et répondait :

— Oh, maman, c'est un délice. C'est la meilleure soupe que j'aie jamais mangée.

— Oui, acquiesçait la reine. Exquise, n'est-ce pas?

— Puis-je en avoir encore?

— C'est une cuillerée pour que tu n'oublies pas. Une

cuillerée pour que tu te souviennes.

— Mais j'en veux encore.

À peine la princesse prononçait-elle ces mots que la reine disparaissait, emportant avec elle cuillère et bol.

— Que de choses perdues! se lamentait Pipa. Que de choses perdues!

Puis elle entendait son nom. Elle se retournait, ravie, croyant que sa mère était revenue. Sauf que ce n'était pas elle. C'était quelqu'un d'autre, c'était une voix qui venait de très loin et lui disait de se réveiller.

Pipa ouvrit les yeux et vit Rosie Latruie debout près de son lit, un couperet dans une main, une chandelle dans l'autre.

— Rosie?

— Boudiou!

— Dites-le! lui ordonna Roscuro.

Fermant les paupières, la servante hurla à pleins poumons :

— Si vous voulez être épargnée, princesse, obéissez-moi.

— Pourquoi donc? répliqua Petit Pois, agacée.

Comme je te l'ai déjà souligné, la princesse n'était pas

du genre à se laisser dicter sa conduite.

— De quoi parles-tu? insista-t-elle.

Rouvrant les yeux, Rosie cria :

— Vous devez me suivre dans les entrailles obscures pour prendre des leçons, vous des bonnes et moi des petites. Comme ça vous serez moi et je serai vous.

— Non! hurla Roscuro du fond de sa cachette. Tu fais tout de travers, idiote!

— Qui a parlé? demanda Pipa.

— Votre majesté, se présenta Roscuro en s'extirpant de la poche de Rosie.

Il grimpa sur l'épaule de cette dernière où il s'installa, la queue autour du cou de la jeune fille pour assurer son équilibre.

— Votre majesté, répéta-t-il en soulevant lentement la cuillère de sa tête et en dévoilant toutes ses dents dans un sourire vraiment abominable, il serait sage de suivre les recommandations de Rosie Latruie. Comme vous le constatez, elle est en possession d'un couteau. D'un très gros couteau. Si besoin est, elle n'hésitera pas à s'en servir.

— Vos menaces sont ridicules! protesta Petit Pois.

Je suis une princesse!

— Nous ne savons que trop bien qui vous êtes, répondit le rat. Mais une lame n'a que faire de votre qualité. Il me semble deviner que vous saignerez exactement comme n'importe qui.

Pipa regarda la servante, qui lui sourit. Le couperet luisait à la lueur de la bougie.

— Rosie? demanda la princesse, la voix tremblante.

— Soyez certaine qu'il ne faudrait pas beaucoup la pousser pour qu'elle se serve de ce couteau, intervint Roscuro. C'est une personne dangereuse et tellement influençable.

— Pourtant, nous sommes amies, n'est-ce pas, Rosie?

— Quoi?

— Faites-moi confiance. Vous n'êtes pas des amies, répondit Roscuro. Et vous auriez intérêt à ne vous adresser qu'à moi, princesse. C'est moi qui commande, ici. Regardez-moi.

Pipa contempla le rat coiffé d'une cuillère, et son cœur s'affola.

— Me reconnaissez-vous, princesse?

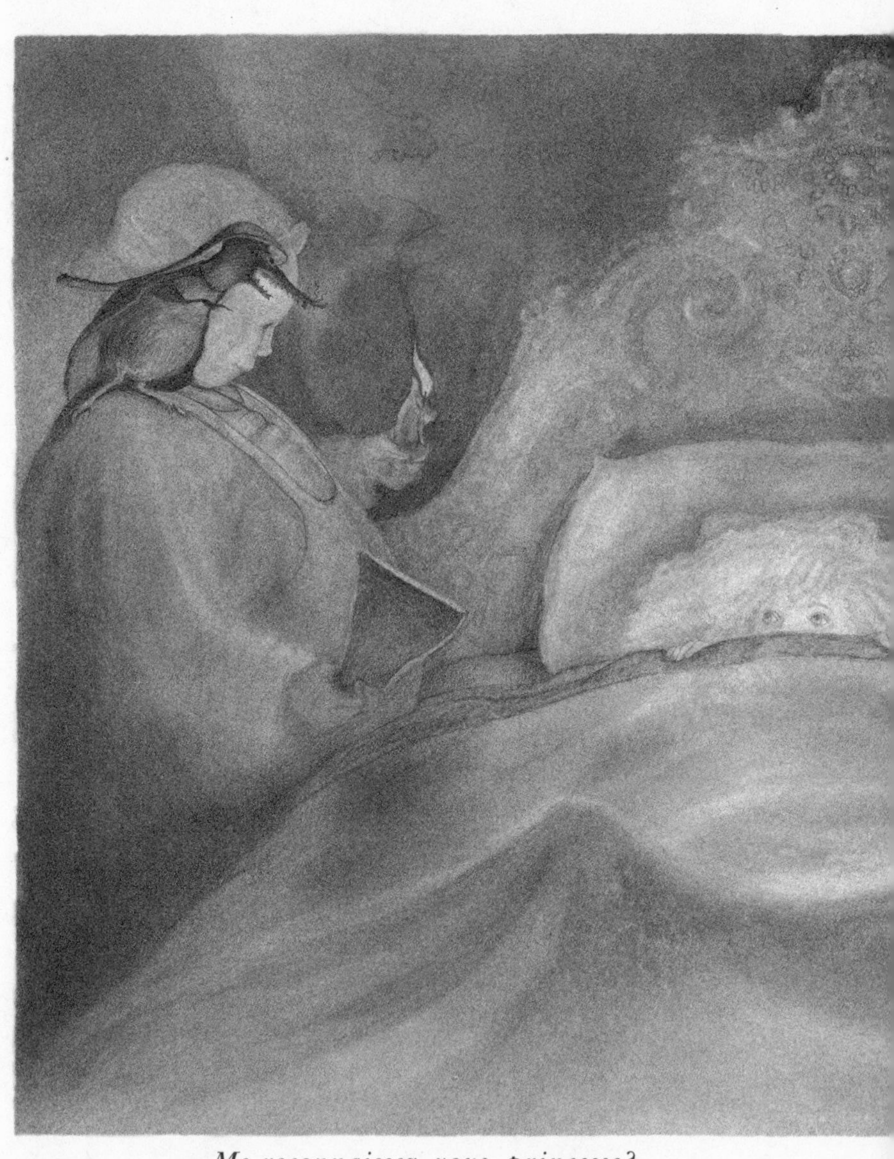

— Me reconnaissez-vous, princesse?

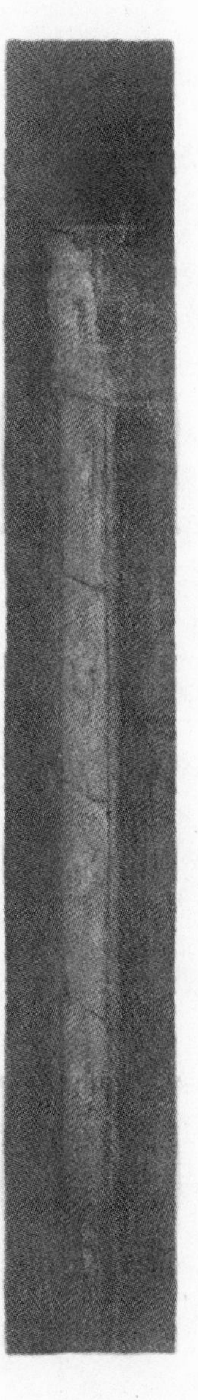

— Non, répondit celle-ci en baissant la tête, concentrée sur la colère énorme qui bouillait en elle, je ne vous ai jamais vu.

Mais, lecteur, ce n'était pas vrai. Elle avait parfaitement identifié le rat qui était tombé dans la soupe de la reine. De plus, il portait la cuillère de sa défunte mère sur la tête!

— Regardez mieux, princesse. À moins que vous n'osiez affronter le spectacle? Votre royale sensibilité serait-elle ébranlée par la vision d'un rat?

— Je ne vous connais pas et je n'ai pas peur de vous.

Lentement, Pipa releva le menton et, dans un geste de défi, planta ses yeux dans ceux de Roscuro.

— Fort bien, dit celui-ci sans se démonter. Vous ne me connaissez pas. À votre guise. Que cela ne vous empêche pas de m' obéir cependant, car mon amie ici présente tient un couteau. Alors, sortez de votre lit, princesse. Nous allons faire un petit voyage. J'aimerais que vous revêtiez votre plus belle robe, celle que vous portiez à ce fameux banquet, il n'y a pas si longtemps de cela.

— Et n' oubliez pas la couronne! précisa Rosie. Mettez-la sur votre tête.

— Oui, renchérit Roscuro, n'oubliez surtout pas votre couronne, s'il vous plaît.

Sans quitter le rat des yeux, Petit Pois repoussa ses couvertures.

— Dépêchez-vous! Notre voyage doit s'effectuer de nuit, pendant que le château dort, ignorant, tellement ignorant je le crains, de votre sort.

Petit Pois attrapa une tenue dans son placard.

— Oui! marmotta Roscuro pour lui-même. C'est celle-là. Comme elle brille sous la lumière! Ravissant!

— J'ai besoin que quelqu'un l'agrafe, annonça Pipa en enfilant le vêtement. Aide-moi, Rosie!

— Voyons, princesse, railla Roscuro, croyez-vous pouvoir me rouler aussi aisément? Cette chère Rosie Latruie ne lâchera pas son couteau, n'est-ce pas, Rosie? Sinon, tu risques de perdre toutes chances de devenir princesse.

— Boudiou, c'est vrai!

C'est ainsi que, sous la menace du couperet de Rosie, Petit Pois s'assit et laissa le rat grimper sur son dos pour fermer sa robe, bouton après bouton.

Elle se tenait très droite, n'esquissant aucun mouvement, si ce n'est de se lécher les lèvres, car elle croyait y goûter la douceur salée du potage dont sa mère l'avait nourrie dans son rêve.

— Je n'ai pas oublié, maman, murmura-t-elle. Je me souviens de toi. Je me rappelle la soupe.

Chapitre trente-huit
Aux oubliettes

L'ÉTRANGE TRIO DESCENDIT les escaliers dorés du château. La princesse et Rosie marchaient côte à côte. Roscuro s'était de nouveau caché dans la poche du tablier de la servante, qui pointait la lame aiguisée du couperet dans le dos de Petit Pois. Ils s'enfoncèrent de plus en plus bas dans les étages inférieurs.

La princesse était seule face à son destin, tout le monde étant endormi. Le roi sommeillait dans son immense lit, sa couronne sur la tête, mains croisées sur la poitrine, rêvant que sa femme la reine était un oiseau aux plumes vertes et or qui chantait inlassablement son nom, « Philippe, Philippe, Philippe. »

Cuisinière, dans son lit trop étroit, songeait qu'elle n'arrivait pas à remettre la main sur une recette de velouté. « Où l'ai-je rangée? marmonnait-elle dans son sommeil. Où cette recette est-elle passée? C'était la soupe préférée de la reine. Il faut absolument que je la retrouve. »

Et, non loin de Cuisinière, dans le garde-manger, au sommet d'un sac de farine, dormait la souris Despereaux, rêvant, comme tu le sais déjà, lecteur, de chevaliers en armures étincelantes, de ténèbres et de lumière.

Dans l'énorme bâtisse endormie et obscure ne brûlait que la lueur de la chandelle de Rosie Latruie. La flamme faisait étinceler la robe de la princesse, qui marchait tête haute en essayant de ne pas céder à sa terreur.

Dans cette histoire, lecteur, nous avons évoqué le cœur du souriceau, celui du rat et celui de la servante, mais nous n'avons pas encore parlé du cœur de la princesse. Comme la plupart des cœurs, il était complexe, comportant des zones d'ombre et des zones de lumière.

La part sombre du cœur de la princesse était un minuscule mais brûlant tison de haine envers le rat responsable de la mort de sa mère. Elle était aussi le profond et immense chagrin qu'éprouvait la princesse parce que sa mère était morte et qu'elle ne pouvait plus lui parler, désormais, qu'en rêve.

Quelle en était la part lumineuse? Lecteur, je suis heureuse de pouvoir t'annoncer que la princesse était bonne et, plus important encore peut-être, compatissante. Sais-tu ce que signifie le mot « compatissant »?

Laisse-moi te l'expliquer. Cela veut dire que, lorsqu'on est conduit de force aux oubliettes avec un gros couteau pointé dans le dos, tandis qu'on rassemble tout son courage, on continue néanmoins à penser à celui qui tient le couteau.

On est capable de penser : « Oh, pauvre Rosie Latruie qui désire tant devenir princesse et qui croit que c'est ainsi qu'il faut s'y prendre. Pauvre, pauvre Rosie! Faut-il vraiment qu'elle soit désespérée pour en arriver à de telles extrémités! »

C'est cela, la compassion, lecteur.

Tu as maintenant une petite idée de ce que contenait le cœur de la princesse (haine, chagrin, bonté et compassion), ce cœur qu'elle emportait avec elle le long des escaliers dorés du château, à travers la cuisine et, finalement, juste à l'heure où, dehors, le ciel commençait à s'éclaircir, dans les ténèbres des oubliettes, en compagnie du rat et de la servante.

Chapitre trente-neuf
Disparitions

LE SOLEIL FINIT par se lever et éclaira les méfaits de Roscuro et Rosie Latruie.

Despereaux finit par s'éveiller, mais trop tard, hélas!

— Je ne l'ai pas vue! criait Louise. Et je vais te dire une bonne chose, je m'en lave les mains. Bon débarras! Elle a disparu et c'est tant mieux! De toute façon, elle n'était bonne à rien.

Despereaux s'assit et regarda derrière lui. Oh, sa queue! Partie! Sacrifiée au couperet! Là où elle aurait dû être, plus rien, sauf un moignon sanglant.

— Et ce n'est pas tout! criait Cuisinière de son côté.

Grégoire est mort! Pauvre homme! Un inconnu a coupé sa corde, et le pauvre homme s'est perdu dans le noir. Il en est mort de frayeur. C'est affreux!

— Oh non! chuchota Despereaux. Pas lui!

Il entreprit de descendre de son perchoir. Une fois à terre, il passa la tête sous la porte du garde-manger. Il vit Cuisinière, debout au milieu de la cuisine, qui tordait ses mains grassouillettes. À côté d'elle, une grande femme jouait nerveusement avec un trousseau de clés.

— C'est affreux, acquiesçait la gouvernante. Tous les soldats du roi sont descendus dans les oubliettes pour chercher la princesse et qu'ont-ils trouvés? Le vieil homme. Mort! Alors, quand tu m'annonces que Rosie manque aussi à l'appel, je te réponds qu'on s'en moque.

Despereaux étouffa un cri de détresse. Il avait dormi trop longtemps. Le rat était déjà passé à l'action. La princesse avait disparu.

— Dans quel monde vivons-nous, Louise? Un monde où les princesses sont enlevées sous notre nez, où les reines tombent raides mortes et où nous n'avons même pas le droit de nous consoler avec une soupe?

Sur ce, Cuisinière fondit en larmes.

— Chut! lui lança Louise. Il est interdit de prononcer ce mot.

— Soupe! hurla Cuisinière. Je le dirai autant que je veux! Personne ne m'en empêchera. Soupe! Soupe!

Et elle pleura encore plus fort, secouée par de bruyants sanglots.

— Allons, allons, essaya Louise en tendant une main prévenante, que Cuisinière chassa d'une tape. Tout va s'arranger, insista la gouvernante.

— Non, rétorqua Cuisinière en s'essuyant les yeux avec son tablier. Rien ne s'arrangera jamais. On nous a pris notre petite chérie. Sans la princesse, la vie ne vaut pas d'être vécue.

Despereaux fut stupéfait d'entendre une femme aussi féroce et si pleine de préjugés contre les souris formuler à haute voix, mot pour mot, ce que son petit cœur ressentait.

— Qu'allons-nous devenir? gémit Cuisinière.

— Là! Là! susurra Louise en la prenant par les épaules, sans que son amie proteste, cette fois.

Malheureusement pour lui, Despereaux n'avait personne qui puisse le réconforter. De toute façon, il n'avait pas le temps de pleurnicher. Il devait agir. Plus précisément, il devait parler au roi.

Car, lecteur, ayant surpris le plan de Roscuro, Despereaux savait que la princesse était cachée dans les oubliettes. Et comme il était plus malin que Rosie Latruie, il devinait la monstrueuse vérité que dissimulaient les paroles du rat. Il pressentait que la servante ne deviendrait jamais princesse. Il pressentait que Roscuro ne libérerait jamais Petit Pois.

Alors, le minuscule souriceau qui était tombé dans l'huile, qui était couvert de farine et privé de queue se glissa hors du garde-manger et fila entre les jambes des deux femmes.

Il partit trouver le roi.

Chapitre quarante
Pardon

IL LE CHERCHA d'abord dans la salle du trône, mais il n'y était pas. Despereaux filait vers la chambre de la princesse quand, soudain, il tomba sur le Conseil des Souris, ses treize membres et le Grand Maître Souris, assis autour de leur bout de bois et débattant de matières d'une extrême importance.

Despereaux s'arrêta net et se tint immobile.

— Honorables compagnons, dit le Grand Maître Souris avant de lever les yeux et de découvrir le souriceau. Despereaux! murmura-t-il.

Les membres du Conseil se penchèrent en avant pour

comprendre ce qu'il venait de marmonner.

— Pardon? fit quelqu'un.

— Excusez-moi? demanda un autre.

— J'ai dû mal entendre, ajouta un troisième. J'ai cru que vous disiez « Despereaux ».

Reprenant ses esprits, le Grand Maître Souris lança :

— Honorables compagnons, un fantôme. Un fantôme!

Et il tendit la patte en direction du souriceau. Les autres se retournèrent.

C'était bien Despereaux Deslabours, couvert de farine, qui les fixait des yeux, le légendaire fil rouge toujours autour du cou, pareille à une trace sanguinolente.

— Despereaux! s'exclama Lester. Tu es revenu, mon fils!

Despereaux le dévisagea. Il vit une souris âgée au poil strié de gris. Comment était-ce possible? Il n'était parti que depuis quelques jours, mais son père semblait avoir vieilli de plusieurs années pendant son absence.

— Mon fils! chuchota Lester, les moustaches tremblantes. Fantôme de mon fils! Je rêve de toi toutes les nuits. Je rêve que je bats le tambour qui t'a envoyé à la mort. J'ai eu tort. J'ai mal agi.

— *Tu es revenu, mon fils!*

— Pas du tout! cria le Grand Maître Souris. Non!

— Je l'ai détruit, continua Lester, j'ai détruit le tambour. Me pardonneras-tu jamais?

Croisant les pattes devant lui, il contempla Despereaux.

— Non! hurla une nouvelle fois le Grand Maître Souris. Ne t'excuse pas, Lester! Tu as fait ce qu'il fallait faire. Tu as agi dans l'intérêt de notre communauté.

— Mon fils, reprit Lester en l'ignorant, je t'en supplie, pardonne-moi.

Despereaux continuait à fixer son père – poil grisonnant, moustaches frémissantes, pattes avant serrées sur son cœur – et il crut soudain que son propre cœur allait se briser. Lester avait l'air si petit et si triste.

— Pardonne-moi, répéta-t-il.

Le pardon, lecteur, ressemble beaucoup, me semble-t-il, à l'espoir et à l'amour. Il est puissant et formidable.

Et ridicule.

Car n'est-il pas ridicule de croire qu'un fils puisse pardonner au père qui a battu le tambour destiné à l'envoyer à la mort? N'est-il pas ridicule de croire qu'un fils puisse pardonner pareille perfidie?

Et pourtant :

— Je te pardonne, papa.

Tels furent les mots que Despereaux Deslabours adressa à son père.

Il les prononça parce qu'il avait le sentiment que seuls eux étaient capables de sauver son propre cœur, de l'empêcher de se briser. Despereaux, lecteur, prononça ces paroles pour se sauver lui-même.

Puis il s'en prit au Conseil tout entier.

— Vous avez eu tort, lança-t-il. Tous! Vous m'avez demandé de me rétracter; à mon tour je vous demande de vous rétracter. Repentez-vous!

— Jamais! cria le Grand Maître Souris.

C'est alors que Despereaux se rendit compte qu'il avait changé depuis la dernière fois qu'il avait été confronté aux membres du Conseil. Il avait connu les oubliettes et en était ressorti. Il savait des choses qu'eux ignoreraient toute leur vie. L'opinion qu'ils avaient de lui, comprit-il, n'avait aucune importance. Absolument aucune.

Alors, sans ajouter un mot, il quitta la pièce.

Une fois qu'il fût parti, le Grand Maître Souris abattit une patte frémissante sur la table.

— Honorables compagnons! tonna-t-il. Un fantôme nous a rendu visite pour exiger notre repentance. Votons. Que ceux qui estiment que cette visite n'a jamais eu lieu lèvent la patte.

Les autres obéirent comme une seule souris.

Seul l'un d'eux ne broncha pas. Le père de Despereaux. Lester Deslabours détourna la tête en tentant de cacher ses larmes.

Il pleurait, lecteur, car il avait été pardonné.

Chapitre quarante et un
Les larmes d'un roi

DESPEREAUX TROUVA LE ROI dans la chambre de Pipa. Assis sur le lit, il serrait dans ses mains la tapisserie de sa fille et sanglotait. Bien que « sangloter » soit un mot vraiment trop faible pour décrire l'activité à laquelle le roi s'adonnait. Ses yeux lâchaient des cascades d'eau, et une petite flaque s'était formée à ses pieds. Je n'exagère pas. Le roi était, semble-t-il, bien décidé à se liquéfier en une rivière de larmes.

Lecteur, as-tu déjà vu un roi pleurer? Lorsque les puissants sont soudain faibles, lorsqu'ils révèlent leur humanité et montrent qu'ils ont un cœur, leur chute n'en est que plus effrayante.

Sois bien sûr que Despereaux fut effrayé. Terrifié. Pourtant, il osa parler.

— Majesté?

Le roi ne l'entendit pas. Il laissa tomber la tapisserie, prit sa couronne dorée sur ses genoux et s'en frappa le torse à grands coups. Comme je l'ai mentionné, le roi avait des défauts. Il était myope, il proclamait des lois ridicules, déraisonnables et inapplicables. Et, comme Rosie Latruie, il n'était pas très brillant.

Mais il avait une qualité extraordinaire, merveilleuse et admirable. Il savait aimer de tout son cœur. C'est ainsi qu'il avait aimé la reine, et c'est ainsi – sinon plus – qu'il aimait sa fille. Il aimait la princesse Petit Pois de toutes les particules de son être. Or, on la lui avait prise.

Mais ce que Despereaux était venu dire au roi se devait d'être dit. Aussi, il fit une deuxième tentative.

— Excusez-moi.

Despereaux ignorait complètement comment un souriceau était censé s'adresser à un roi. « Monsieur » lui paraissait un peu faible. Il réfléchit un moment, puis se racla la gorge et lança, le plus fort possible :

— Excusez-moi, Très Éminente Personne.

Le roi Philippe cessa de se frapper avec la couronne et regarda autour de lui.

— Par ici, Très Éminente Personne, en bas!

Le roi baissa la tête et loucha vers le sol.

— Un insecte s'adresserait-il à moi?

— Non, je suis une souris. Nous nous sommes déjà rencontrés.

— Une souris! Une souris, c'est presque un rat, ça!

— Monsieur, Très Éminente Personne, écoutez-moi, je vous prie. Ceci est important. Je sais où se trouve votre fille.

— Ah bon? répondit le roi en reniflant et en se mouchant dans son manteau de roi. Où ça?

Il se pencha vers le souriceau et, une larme, deux larmes, trois énormes larmes tombèrent sur la tête de Despereaux – plop! plop! plop! – et lui roulèrent sur le dos, nettoyant au passage la farine blanche dont il était enduit et révélant son poil brun.

— Monsieur, Très Éminente Personne, reprit Despereaux en s'essuyant, elle est dans les oubliettes.

— Menteur! protesta le roi en se redressant. J'aurais dû m'en douter! Tous les rongeurs sont des menteurs et des voleurs. Elle n'y est pas, mes hommes ont fouillé partout.

— Sauf que seuls les rats connaissent parfaitement les oubliettes. Elles renferment des milliers de cachettes que vos soldats ne sauraient dénicher si les rats ne le souhaitent pas.

— Aaahhh! dit le roi en se bouchant les oreilles. Je t'interdis de me parler des rats! Je les ai bannis! Ils sont hors-la-loi! Il n'y a pas de rats dans mon royaume. Ils n'existent plus.

— Monsieur, Très Éminente Personne, c'est faux. Des centaines de rats vivent dans les oubliettes de ce château. L'un d'eux a enlevé votre fille, et si vous envoyez...

— Je ne t'entends pas! se mit à claironner le roi. Je ne t'entends pas! hurla-t-il. Et de toute façon, tu racontes des mensonges parce que tu es un rongeur et, par conséquent, un menteur.

Il recommença sa chansonnette, s'interrompit et ajouta :

— J'ai convoqué des diseurs de bonne aventure. Et un magicien. Ils arrivent de très loin. Eux m'apprendront où se trouve ma chère enfant. Eux me diront la vérité. Une souris ne sait que mentir.

— Mais je dis la vérité! protesta Despereaux. Je le jure.

Peine perdue! Le roi ne l'écoutait plus. Mains plaquées sur ses oreilles, il chantait de plus en plus fort, tandis que de grosses larmes roulaient sur ses joues avant de s'écraser par terre.

Consterné, Despereaux s'assit et le contempla. Que faire? Portant une patte à son cou, il tira nerveusement sur le fil rouge. Soudain, son rêve lui revint... Les ténèbres et la lumière, le chevalier brandissant son épée, et le moment épouvantable où le souriceau s'était rendu compte que l'armure était vide.

C'est alors, lecteur, qu'une idée formidable et stupéfiante submergea notre héros. L'armure avait-elle été vide exprès? L'avait-elle été parce qu'elle attendait que quelqu'un s'y glisse?

Que lui, Despereaux, s'y glisse?

« Tu me connais », lui avait lancé le chevalier dans son rêve.

— Oui, s'écria Despereaux, ravi. Je te connais!

— Je ne t'entends pas! bredouilla le roi.

— Il sera donc dit que je devrai m'en occuper en personne, déclara le souriceau. Moi, je serai le chevalier à l'armure étincelante. Il n'y a pas d'autre solution. Ce sera moi, rien que moi.

Sur ce, il abandonna le roi sanglotant et partit en quête du maître du fil.

Chapitre quarante-deux
Le reste du fil

ASSIS SUR SA BOBINE, la queue fouettant l'air, le maître du fil dégustait un bout de céleri.

— Tiens, tiens! s'exclama-t-il en reconnaissant Despereaux. Voyez-vous qui est là. Le souriceau qui aimait une princesse humaine et qui nous revient des oubliettes en un seul morceau. S'il était là, le vieux maître du fil me reprocherait d'avoir saboté le boulot. Il m'accuserait de ne pas avoir correctement noué le fil. Ce qui n'est pas vrai. Comment j'en suis sûr? Parce que le fil est toujours autour de ton cou.

Hochant la tête avec satisfaction, il croqua dans sa

branche de céleri.

— J'ai besoin du reste, annonça Despereaux.

— Du reste de quoi? De ton cou?

— Du reste du fil.

— C'est que je ne peux pas le donner comme ça à n'importe qui. Il a la réputation d'être particulier. Sacré. Même si, à force de le fréquenter, je peux t'assurer que je le connais pour ce qu'il est.

— Et qu'est-il?

— Du fil, ni plus ni moins, répondit le maître du fil en haussant les épaules. Mais je fais semblant, mon ami, je fais semblant. Puis-je me permettre de te demander à quoi tu comptes l'employer?

— À sauver la princesse.

— Ah, la princesse! La belle princesse. C'est avec elle que toute cette histoire a commencé, hein?

— C'est mon devoir. Il n'y a que moi qui puisse la sauver.

— Évidemment! C'est à croire qu'on ne peut jamais compter sur personne d'autre que soi-même pour régler les choses désagréables. À quoi te servira la bobine de fil?

— Un rat cache Petit Pois dans les oubliettes. Il faut que j'y retourne. Mais elles sont pleines d'allées entrelacées, d'impasses et de chemins trompeurs.

— Un vrai labyrinthe.

— Oui. Le seul moyen de retrouver et de ramener la princesse sans me perdre, c'est le fil. Comme la corde que Grégoire le geôlier avait nouée à sa cheville.

Despereaux frissonna en repensant au bonhomme agonisant dans le noir parce qu'un rat avait rongé sa corde.

— Je... reprit-il, je... Le fil me serait bien utile.

— Je vois, acquiesça l'autre en grignotant son céleri. Finalement, mon ami, tu te lances dans une quête.

— J'ignore ce que c'est.

— Aucune importance. Disons juste que tu te sens obligé de relever ce défi important, impossible.

— Impossible?

— Impossible! Important.

Le maître du fil mâchouilla son céleri en regardant au-delà de Despereaux, puis sauta soudain de son perchoir.

— Après tout, qui suis-je pour m'opposer à une quête? Tiens, prends-la.

— Vraiment?

— Oui.

Despereaux tendit la patte pour effleurer la bobine. Il la poussa légèrement en avant, comme pour la tester.

— Merci, dit-il en regardant le maître du fil droit dans les yeux. Je ne connais même pas ton nom.

— Bonpain.

— Merci, Bonpain.

— Il y a autre chose. Un objet qui va avec le fil.

Bonpain disparut dans un coin de son nid et revint avec une aiguille.

— Tiens! Pour te défendre.

— Une épée! Comme celle qu'aurait un chevalier.

— Oui, confirma Bonpain en rongeant une longueur de fil pour nouer l'aiguille à la taille de Despereaux. Exactement comme une épée.

— Merci, Bonpain.

De l'épaule, Despereaux poussa la bobine devant lui.

— Attends! cria Bonpain.

Se dressant sur ses pattes arrière, il se pencha vers le souriceau. Ce dernier sentit l'odeur âpre et rafraîchissante

— Tu n'es plus condamné aux oubliettes.
Tu t'y rends parce que tu le veux bien.

du céleri. Le maître du fil trancha d'un bon coup de dents le fil qui enserrait le cou de Despereaux.

— Là! Maintenant, tu es libre. Tu n'es plus condamné aux oubliettes. Tu t'y rends parce que tu le veux bien.

— Parce que je poursuis une quête.

Le mot roulait en bouche, agréable, juste à la bonne place, en quelque sorte.

Quête.

Dis-le, lecteur! Prononce le mot « quête ». Extraordinaire, non? Si petit et pourtant si prodigieux et plein d'espoir.

— Au revoir! lança Bonpain tandis que Despereaux s'éloignait en poussant la bobine. Tu es le premier que je vois sortir des oubliettes et y retourner aussitôt. Au revoir, ami. Au revoir, meilleur d'entre nous.

Chapitre quarante-trois
Ce que Cuisinière remuait

CETTE NUIT-LÀ, donc, Despereaux roula la bobine, hors du repaire du maître du fil, la roula le long d'innombrables couloirs, la roula le long d'un escalier de trois étages.

Lecteur, permets-moi de remettre tout cela en perspective. Imagine que tu es une souris banale (d'accord, une souris de château, si tu préfères) des plus normales et que tu pèses dans les cent dix grammes. Comme tu sais, Despereaux n'avait rien de normal. Il était d'ailleurs si incroyablement minuscule qu'il pesait environ la moitié d'une souris normale, soit dans les cinquante-cinq grammes. C'est tout dire. Réfléchis un instant : cinquante-cinq grammes de souriceau poussant une bobine de fil presque aussi lourde que lui.

Honnêtement, lecteur, quelles chances a ce souriceau de réussir sa quête?

Aucune. Zéro.

Tu dois cependant tenir compte de son amour pour la princesse. L'amour, comme nous en avons déjà discuté, est un sentiment puissant, formidable et ridicule, capable de déplacer des montagnes. Et des bobines de fil.

Il avait beau avoir le cœur plein d'amour et de bonnes raisons, Despereaux était quand même bien fatigué quand il atteignit, à minuit, la porte de la cuisine. Ses pattes tremblaient, ses muscles tressautaient et le moignon de sa queue était fort douloureux. Il lui restait pourtant un long, un très long chemin à parcourir : traverser la cuisine puis descendre les nombreuses marches jusqu'aux oubliettes et là, d'une façon ou d'une autre, arpenter les ténèbres grouillant de rats sans savoir où il allait... Ah, lecteur! Quand il s'arrêta pour réfléchir à ce qu'il lui faudrait accomplir, Despereaux fut pétrifié par une bouffée de désespoir glaciale.

Il posa sa tête contre la bobine, sentit une vague odeur de céleri et pensa à Bonpain, qui semblait croire en lui et en sa quête. Alors, il releva la tête, carra les épaules et entra dans la cuisine, la bobine devant lui. Trop tard, il s'aperçut qu'une lumière y brûlait. Il se figea sur place.

Courbée au-dessus du fourneau, Cuisinière remuait quelque chose.

Était-ce une sauce? Non.

Était-ce un ragoût? Non.

Ce que Cuisinière remuait était... une soupe. Une soupe, lecteur! Dans le propre château du roi, malgré le décret du roi, juste sous le nez du roi, Cuisinière préparait un potage!

Elle se pencha sur la vapeur s'échappant de la marmite et huma longuement. Un sourire béat envahit son visage, les volutes de fumée l'enveloppèrent tout entière, provoquant, à la lumière de la bougie, comme un halo autour de sa tête.

Despereaux n'ignorait rien des sentiments que Cuisinière nourrissait envers son espèce. Il se rappelait clairement les instructions qu'elle avait données à Rosie : « Tue-les, même mortes. Comme ça, tu es sûre d'obtenir un cadavre, et c'est le seul état où elles sont acceptables. »

Il lui fallait pourtant traverser le domaine de Cuisinière pour atteindre la porte des oubliettes. Et il n'avait pas de temps à perdre. L'aube n'allait pas tarder, le château s'éveillerait – impossible alors de passer inaperçu. Il devait se faufiler sans que cette femme qui haïssait tant les souris le voit.

Alors, rassemblant tout son courage, Despereaux s'arc-bouta contre sa bobine et reprit sa course.

Cuisinière se retourna aussitôt, sa louche à la main, l'air effrayé.

— Qui va là? aboya-t-elle.

Chapitre quarante-quatre
À qui sont ces oreilles?

— QUI VA LÀ? répéta Cuisinière.

Sagement, Despereaux s'abstint de répondre.

— Ouf, ce n'est rien! lança la femme. Juste mes pauvres nerfs qui me jouent des tours. Quelle vieille bête!

Despereaux s'affala contre sa bobine de fil, le cœur battant et les pattes tremblantes.

Soudain, un tout petit miracle se produisit. Une brise nocturne pénétra dans la cuisine, dansa au-dessus du fourneau, s'imprégna de la bonne odeur de soupe, tournoya sur le sol et apporta le parfum juste sous le nez du souriceau.

Despereaux leva la tête et renifla. Il renifla, renifla encore. Jamais il n'avait senti arôme aussi délicieux, aussi tentant. Chaque bouffée lui donna l'impression d'être plus fort, d'être plus brave.

S'intéressant de nouveau à sa marmite, Cuisinière y plongea la louche, la ressortit, souffla dessus, la porta à ses lèvres et avala goulûment.

— Miam! fit-elle. Pourtant...

Elle goûta une deuxième gorgée.

— Il manque quelque chose. Du sel, peut-être.

Posant sa louche, elle attrapa une gigantesque salière et l'agita au-dessus de la casserole.

Quant à Despereaux, enhardi par l'odeur du potage, il reprit sa route.

« Vite! se disait-il. Vite! Ne réfléchis pas! Agis! »

Tout à coup, Cuisinière virevolta, salière à la main, et cria :

— Qui va là?

Despereaux s'arrêta net et s'accroupit derrière la bobine de fil. Cuisinière souleva la chandelle posée sur le fourneau.

— Voyons voir, marmonna-t-elle.

La chandelle se rapprocha, se rapprocha...

— Qu'est-ce que c'est que ça?

Le rayon de lumière tombait droit sur les grandes oreilles du souriceau qui pointaient derrière la bobine.

— Mais à qui sont ces oreilles?

La bougie illumina alors le museau de Despereaux.

— Une souris! Une souris dans ma cuisine!

Despereaux ferma les paupières, résigné.

Il attendit, lecteur, il attendit. Puis il entendit un rire. Rouvrant les yeux, il regarda.

— Ho! s'esclaffait Cuisinière. Ho! ho! ho! C'est bien la première fois que je suis contente de voir une souris. Pourquoi? Ho! ho! ho! Parce qu'une souris n'est pas un soldat du roi descendu me punir d'avoir préparé une soupe. Voilà pourquoi. Parce qu'une souris n'est pas un soldat du roi descendu me jeter aux oubliettes. Ho! ho! ho! Une souris. Moi, Cuisinière, je suis contente de voir une souris!

Le visage de la femme était empourpré et son ventre tressaillait.

— Ho! ho! ho! En plus, ce n'est pas n'importe quelle souris. Elle a une aiguille nouée à la taille, elle n'a plus de queue. N'est-ce pas charmant? Ho! ho! ho!

Elle secoua la tête et s'essuya les yeux.

— Écoute, souris, cette journée a été extraordinaire. Pour cela, il est temps que nous fassions la paix. Je ne te demanderai pas ce que tu fabriques dans ma cuisine. Toi, en échange, tu ne parleras de mon potage à personne.

Cela dit, elle se retourna vers son fourneau, posa sa chandelle, ramassa sa louche, la remit dans la marmite, la ressortit, goûta une nouvelle fois en claquant des lèvres.

— Non, marmonna-t-elle. Ce n'est pas ça. Il manque encore quelque chose.

Despereaux ne broncha pas. Il en était incapable, paralysé par la peur. Il resta assis sur le sol. Une petite larme roula sur sa joue gauche. Il s'était attendu à ce que Cuisinière le tue.

Au lieu de cela, lecteur, elle s'était moquée de lui.
Et il était surpris de constater à quel point ça faisait mal.

Chapitre quarante-cinq
Un peu de soupe

CUISINIÈRE REMUA la soupe, posa la louche, souleva la chandelle et regarda Despereaux.

— Qu'est-ce que tu attends? lui lança-t-elle. File! Tu n'auras pas de deuxième chance.

L'odeur du plat voleta jusqu'au souriceau, qui leva le nez. Ses moustaches frémirent.

— C'est bien de la soupe que tu sens, confirma Cuisinière. La princesse, bénie soit-elle, a disparu, mais j'imagine que tu n'es pas au courant et que tu t'en moques. Les temps sont durs. Et quand les temps sont durs, la seule réponse, c'est une bonne soupe. Celle-ci n'a-t-elle pas l'odeur de la seule réponse possible?

— Oui, approuva Despereaux.

Lui tournant le dos, Cuisinière reposa sa chandelle, reprit sa louche et se remit à remuer.

— Oh, gémit-elle en secouant la tête, nous vivons des jours difficiles. Mais je me leurre. Un potage ne sert à rien si personne ne le mange. Ce velouté a besoin de caresser le palais d'une autre bouche que la mienne, de réchauffer un autre cœur que le mien.

Cessant brusquement de remuer son plat, elle fit face à Despereaux.

— Souris, lui lança-t-elle, voudrais-tu un peu de soupe?

Sans attendre la réponse, elle attrapa une soucoupe, la remplit et la déposa par terre.

— Approche! Je ne te toucherai pas. Promis!

Despereaux renifla. Ça sentait délicieusement bon. Une merveille! Prudemment, il rampa vers l'assiette.

— Vas-y, l'encouragea la femme. Goûte!

Despereaux grimpa carrément dans le potage. Baissant la tête, il avala une gorgée. C'était divin. Ail, poulet, cresson de fontaine – le même velouté que celui préparé pour la reine le soir où elle était morte.

— Alors? demanda Cuisinière anxieusement en se tordant les mains.

— Merveilleux.

— Trop d'ail?

— Non, c'est parfait.

Un immense sourire se répandit sur le visage de Cuisinière.

— Vois-tu, dit-elle, la soupe rend meilleur tout le monde, souris comme humain.

Despereaux but une deuxième gorgée, sous l'œil ravi de Cuisinière.

— Il n'y manque rien, alors? demanda-t-elle. Elle est bien comme ça?

Despereaux hocha la tête.

Il engloutit sa soupe à longues gorgées bruyantes. Quand il ressortit de la soucoupe, ses pattes étaient trempées, la soupe dégouttait de ses moustaches, et il avait le ventre plein.

— Tu en reprendras bien un peu, hein? lança Cuisinière.

— Impossible. Je n'ai pas le temps. Je suis en route pour sauver la princesse des oubliettes.

— C'est parfait.

— Ho! ho! ho! Toi, une souris, tu comptes sauver la princesse?

— Oui. Telle est ma quête.

— Eh bien, ce n'est pas moi qui t'empêcherai de la mener à bien.

C'est ainsi que Cuisinière ouvrit la porte des oubliettes pour que Despereaux y pousse sa bobine de fil.

— Bonne chance! lui dit-elle. Ho! ho! ho! Ramène-nous la princesse.

Refermant la porte derrière lui, elle s'y adossa et secoua la tête.

— Si ce n'est pas la preuve que nous traversons un drôle de moment, marmonna-t-elle, je veux bien être pendue. Moi, Cuisinière, offrant de la soupe à une souris et lui souhaitant bonne chance dans sa quête pour sauver la princesse. Bon sang! Quelle drôle d'époque!

Chapitre quarante-six
À coup sûr, du sang de souris

DEBOUT AU SOMMET de l'escalier, Despereaux scruta l'obscurité qui s'étalait à ses pieds.

— Oh! murmura-t-il. Oh, mon Dieu!

Il avait oublié que les ténébreuses oubliettes étaient à ce point ténébreuses. Il avait également oublié leur puanteur, odeur de rat mêlée à celle de la souffrance.

Mais son cœur était plein d'amour pour la princesse et son ventre, rempli de la soupe de Cuisinière, et il se sentait courageux et fort. Alors, sans plus attendre, rempli d'espoir, il s'attaqua au dur labeur qui consistait à descendre les marches étroites avec sa bobine.

Despereaux Deslabours s'enfonça, s'enfonça, s'enfonça dans le noir. Il progressait lentement, lentement, lentement... C'était un voyage sombre, sombre, sombre...

— Je vais me raconter une histoire, décida-t-il. Je vais me donner de la lumière. Voyons. Ça commencerait comme ça : il était une fois. Il était une fois un souriceau très, très petit. Exceptionnellement petit. Il y avait aussi une belle princesse qui s'appelait Petit Pois. Le destin voulut que ce souriceau fût choisi pour servir la princesse, l'aimer d'amour noble et la sauver d'abominables et ténébreuses oubliettes.

Cette histoire remonta considérablement le moral de Despereaux. Ses yeux s'habituèrent au noir, et il pressa le pas, plus sûr de lui maintenant, se chuchotant à lui-même le conte d'un rat sournois et d'une servante grassouillette, d'une belle princesse et d'un souriceau hardi, d'un bol de soupe et d'une bobine de fil rouge.

C'était un récit finalement très semblable à celui que tu es en train de lire, lecteur, et il donna des forces à Despereaux, qui poussait maintenant sa bobine avec beaucoup d'entrain.

Soudain, le fil, peut-être désireux d'entamer la noble

tâche qui consistait à aider Despereaux à sauver la princesse, échappa à notre héros et dégringola les escaliers.

— Oh, non! s'écria le souriceau. Non, non, non!

Il se mit à trottiner pour tenter de rattraper la bobine.

Mais celle-ci avait pris de l'avance. Elle était aussi plus rapide que lui. Elle vola le long des marches, semant Despereaux. Arrivée au pied des escaliers, elle roula, roula jusqu'à enfin s'arrêter, paresseusement, contre la patte griffue d'un rat.

— Qu'est-ce donc que cela? demanda le rat à une oreille.

— Je vais te le dire, moi, ce que nous avons là, se répondit à lui-même Botticelli Remorso. Nous avons du fil rouge. Magnifique! Du fil rouge, ça ne peut signifier qu'une chose, pour un rat.

Levant le nez, il huma l'air de tous côtés.

— Je sens... Est-ce possible? Oui, aucun doute! De la soupe. Comme c'est bizarre.

Il renifla une nouvelle fois.

— Je sens aussi des larmes. Des larmes humaines. Miam! Et autre chose encore.

Levant son nez le plus haut possible, il prit une grande respiration.

— De la farine et de l'huile. Ça alors! Quelle abondance d'odeurs! Mais qu'est-ce qui se faufile derrière tout ça? Du sang de souris! À coup sûr, du sang de souris! Ha! ha! ha! C'est ça!

Baissant les yeux sur la bobine, Botticelli ricana et la poussa du bout de la patte.

— Du fil rouge. Ha! Et moi qui croyais ne plus rien devoir espérer ici-bas! Une souris qui tombe à pic!

Chapitre quarante-sept
Pas le choix

TOUT TREMBLANT, Despereaux s'était arrêté au beau milieu de l'escalier. La bobine lui avait définitivement échappé. Il ne l'entendait plus rouler. Il ne la voyait plus. Trop tard, il regretta de ne pas s'être attaché à elle.

Despereaux était dans une situation critique, il en avait conscience – lui, un souriceau de cinquante-cinq grammes, tout seul dans de noires et traîtresses oubliettes infestées de rats, n'ayant qu'une aiguille à coudre pour se défendre, devant trouver une princesse et la sauver.

— C'est impossible! dit-il à l'obscurité. Je n'y arriverai jamais.

Il resta figé un long moment.

— Il faut que je rebrousse chemin.

Mais il ne broncha pas.

— Je dois repartir.

Il recula d'un pas.

— Je ne peux pas! Je n'ai pas le choix. Non, pas le choix.

Il descendit une marche. Puis une deuxième.

— Pas le choix, pas le choix, pas le choix, chantaient les battements de son cœur, tandis que Despereaux avançait pas à pas vers son destin.

Au pied de l'escalier patientait le rat Botticelli et, lorsque Despereaux sauta la dernière marche, il l'accueillit comme un vieil ami.

— Ah, te voilà enfin! lança-t-il. Je t'attendais.

Despereaux distingua la sombre silhouette d'un rat (cette créature qu'il redoutait tant) qui émergeait du noir et venait à sa rencontre.

— Bienvenue, bienvenue, dit Botticelli.

Despereaux porta la patte à son aiguille.

— Ah, ah! apprécia le rat. Tu es armé. Je me rends,

ajouta-t-il en levant les pattes. Oui, tu as bien entendu, je me rends.

— Je... commença Despereaux.

— Oui? l'interrompit Botticelli en agitant d'avant en arrière le médaillon accroché à son cou. Je t'écoute.

— Je ne veux pas te faire du mal. Je veux juste que tu me laisses passer. Je... Je poursuis une quête.

— Vraiment? Mais c'est extraordinaire! Un souriceau lancé dans une quête.

D'avant en arrière, d'avant en arrière allait le pendentif...

— Et en quoi consiste cette quête?

— À sauver la princesse.

— La princesse. Oui, oui, oui! La princesse! On n'arrête pas d'en parler, de celle-là, ces derniers jours. Les soldats du roi sont descendus la chercher, tu sais. Ils ne l'ont pas trouvée, cela va sans dire. Et te voilà, toi, une souris! Une souris en quête. Une quête pour sauver la princesse.

— C'est ça, confirma Despereaux en faisant un pas sur la gauche.

— Très intéressant, reprit Botticelli en se déplaçant tranquillement d'un pas sur la droite pour bloquer le passage. Tu m'as l'air bien pressé, mon ami. Pourquoi donc?

— Parce que je dois...

— Oui, oui, oui! Sauver la princesse, je sais. Il faudrait d'abord que tu la trouves, tu ne crois pas?

— Oui.

— Et si je t'apprenais que je sais exactement où elle est? Si je te proposais de te mener droit vers elle?

— Hum... hésita Despereaux, une patte tremblante toujours posée sur son aiguille. Pourquoi ferais-tu ça?

— Bah, juste histoire de rendre service. D'accomplir mon devoir envers l'humanité. D'aider à sauver une princesse.

— Mais tu es un...

— Un rat, approuva Botticelli. En effet. Et je vois, à tes tremblements, que les rumeurs tout à fait exagérées concernant mon espèce sont parvenues à tes oreilles démesurées.

— Oui.

— En m'autorisant à t'aider, continua le rat sans cesser d'agiter son médaillon, tu me feras une grande faveur. Non seulement j'aurai œuvré dans l'intérêt de la princesse et le tien, mais j'aurai aussi contribué à dissiper cette terrible réputation de méchanceté qui semble entourer les rats.

Alors, me laisseras-tu t'assister? Me permettras-tu d'œuvrer au bénéfice des miens et de moi-même?

Était-ce une ruse, lecteur?

Bien sûr que oui!

Botticelli ne voulait pas rendre service. Loin de là. Tu sais maintenant ce que Botticelli voulait : voir les autres souffrir. Il souhaitait surtout que ce souriceau de rien du tout ait très mal. Comment allait-il s'y prendre?

Eh bien, en le menant droit au but. À la princesse. Il lui montrerait le désir le plus cher de son cœur, puis – et pas avant – une fois qu'il serait face à son amour, il le tuerait. Le souriceau n'en aurait que meilleur goût, au bout du compte, assaisonné d'espoir et de larmes, de farine, d'huile et d'amour perdu!

— Je me nomme Botticelli Remorso, mon ami, et tu peux avoir confiance en moi. Tu dois avoir confiance en moi. Et toi, me diras-tu comment tu t'appelles?

— Despereaux. Despereaux Deslabours.

— Ôte la patte de ton arme et suis-moi, Despereaux Deslabours.

Despereaux le regarda fixement.

— Viens, viens, oublie ton aiguille et prends ma queue.

Je vais te conduire à la princesse. Promis.

D'après ton expérience, lecteur, que vaut la promesse d'un rat?

Exactement.

Rien. Zéro.

Mais je suis forcée de te poser cette deuxième question : à quoi d'autre pouvait s'accrocher Despereaux?

Encore une fois, tu as raison.

À rien.

Alors, le souriceau tendit la patte et s'accrocha à la queue du rat.

Chapitre quarante-huit
À la queue d'un rat

LECTEUR, AS-TU DÉJÀ TENU la queue d'un rat? Au mieux, c'est une sensation déplaisante, froide et écailleuse – comme si tu avais un petit serpent dans la main. Au pire, c'est-à-dire quand ta survie dépend de ce rat, alors qu'une part de toi est convaincue qu'il ne te mène nulle part ailleurs qu'à ta mort, c'est une sensation hideuse, vraiment atroce, de n'avoir rien d'autre à quoi s'accrocher qu'à la queue d'un rat.

Pourtant, Despereaux suivit Botticelli Remorso, toujours plus loin dans les entrailles obscures.

Les yeux de Despereaux s'étaient maintenant bien habitués au noir, mais il aurait mieux valu que ce ne fût pas le cas, car ce qu'il distinguait le faisait frissonner et trembler.

Que voyait-il donc de si terrifiant?

Que le sol des oubliettes était jonché de touffes de poil, de bouts de fil rouge et de squelettes de souris. Que, partout, de fins os blancs luisaient dans le noir. Que les tunnels dans lesquels le traînait Botticelli étaient également remplis d'os humains, de crânes ricanants et de délicates ossatures de mains qui surgissaient des ténèbres et pointaient vers un néant qu'il aurait mieux valu oublier.

Despereaux ferma les paupières.

Sauf que cela ne l'aida en rien. Il y voyait comme s'il les avait gardées grandes ouvertes – os, touffes de poils, fil rouge, désespoir.

— Ha! ha! s'esclaffait Botticelli en négociant les tours et détours du labyrinthe. Ha! ha! ha!

Si ce qui se trouvait devant Despereaux était abominable à regarder, ce qui le suivait était peut-être encore pire : des rats! Une bande de joyeux rats, affamés, assoiffés

Despereaux ferma les paupières.

de vengeance, nez en l'air, reniflant.

— Une souris! chantonna l'un d'eux gaiement.

— Oui, une souris! renchérit un deuxième. Et autre chose encore.

— De la soupe! cria un troisième.

— De la soupe, reprirent les rats en chœur.

— Du sang! saliva un autre.

— Du sang! acquiescèrent ses compères.

Puis, tous d'entonner à l'unisson :

— Souris, souriceau! Souris, souriceau! Hé, petite souris!

— Il est à moi! gronda Botticelli. Ce trésor m'appartient, mesdames et messieurs. Je vous prierai de ne pas vous mêler de mes affaires.

— Monsieur Remorso, appela faiblement Despereaux en regardant derrière lui et en découvrant des dizaines d'yeux rouges et de gueules ricanantes. (Il referma aussitôt les yeux.) Monsieur Remorso! cria-t-il.

— Oui?

— Monsieur Remorso, répéta Despereaux, qui pleurait maintenant, incapable de contenir sa terreur, s'il vous plaît, la princesse.

— Des larmes! hurlèrent les rats. Nous sentons tes larmes, souriceau, nous les sentons!

— Je vous en supplie! cria Despereaux.

— Mon ami, répondit Botticelli, petit Despereaux Deslabours, je t'ai fait une promesse et je la tiendrai.

Sur ce, il s'arrêta.

— Regarde devant toi, ajouta-t-il. Que vois-tu?

Despereaux ouvrit les yeux.

— De la lumière, chuchota-t-il.

— Exactement, de la lumière.

Chapitre quarante-neuf
Que veux-tu, Rosie Latruie?

UNE FOIS ENCORE, lecteur, il nous faut revenir en arrière avant d'aller de l'avant. Nous devons, un instant, nous demander ce qui est arrivé au rat, à la servante et à la princesse avant que Despereaux les rejoigne.

Voici comment les choses s'étaient déroulées : Roscuro avait conduit Pipa et Rosie au plus profond des oubliettes, dans une cellule secrète. Là, il avait ordonné à la servante d'enchaîner la princesse.

— Boudiou! s'était exclamée Rosie. Elle va avoir du mal à apprendre ses leçons, si elle est enchaînée.

— Fais ce que je te dis! avait répliqué Roscuro.

— Peut-être bien qu'avant de l'attacher, on devrait échanger nos tenues, elle et moi, avait suggéré la jeune fille. Comme ça, on pourra commencer tout de suite, elle à être moi, et moi à être une princesse.

— C'est ça, avait acquiescé Roscuro. Très bonne idée, mademoiselle Latruie. Princesse, ôtez votre couronne et donnez-la à votre servante.

En soupirant, Pipa avait obéi. Rosie s'était empressée de coiffer la couronne, laquelle avait aussitôt glissé le long de sa petite tête pour venir se poser, très douloureusement, sur ses pauvres oreilles martyrisées.

— Elle est trop grande, s'était plainte Rosie, elle me fait mal.

— Tu m'en diras tant, avait marmonné Roscuro.

— De quoi j'ai l'air? lui avait demandé la jeune fille en souriant quand même.

— Tu es ridicule! Parfaitement risible!

— Vous voulez dire que je ne ressemble pas à une princesse? s'était offusquée Rosie, au bord des larmes.

— Exact! Et tu ne ressembleras *jamais* à une princesse, aussi grosse soit la couronne que tu mettes sur ta toute petite tête. Tu ressembles exactement à la sotte que tu es et seras toujours. Et maintenant, rends-toi utile et enchaîne la princesse. Ce n'est plus le temps des déguisements! Assez joué!

Reniflant et essuyant ses larmes, Rosie s'était penchée sur un tas de chaînes et de cadenas qui traînaient par terre.

— Maintenant, princesse, avait déclaré Roscuro, l'heure est venue de vous annoncer ce qui vous attend réellement. De vous décrire votre futur. De la même façon que vous m'avez condamné aux ténèbres, je vous condamne à passer le reste de votre vie ici, dans les oubliettes.

— Elle ne va pas remonter là-haut pour faire la servante? s'était exclamée Rosie.

— Non.

— Alors, je ne vais pas devenir princesse?

— Non.

— Mais j'en ai envie!

— Personne ne s'intéresse à ce que tu veux ou non.

Comme tu sais, lecteur, Rosie Latruie avait entendu cette phrase maintes fois dans sa courte existence. Mais là, exceptionnellement, les mots la frappèrent de plein fouet. Le rat avait raison. Personne ne se souciait de ses désirs. Personne ne l'avait jamais fait et, pire que tout sans doute, ce n'était pas maintenant que quelqu'un allait commencer.

— Je le veux! avait-elle pleuré.

— Chut! l'avait consolée la princesse.

— La ferme! avait craché Roscuro.

— Je veux... avait sangloté la servante. Je veux... Je veux...

— Que veux-tu, Rosie? avait gentiment demandé la princesse.

— Quoi?

— Que veux-tu, Rosie Latruie? avait répété Petit Pois en haussant la voix.

— Surtout, ne le lui demandez pas! s'était interposé Roscuro. Bouclez-la! Toutes les deux!

Trop tard! Les mots avaient été prononcés. La question, enfin, avait été posée. Et le monde avait cessé de tourner, toutes ses créatures retenant leur souffle afin d'entendre ce que Rosie Latruie voulait.

— Je veux...

— Oui?

— Que veux-tu, Rosie Latruie?

— Ma maman! avait hurlé Rosie au monde qui guettait sa réponse. Je veux ma maman!

— Oh! avait murmuré la princesse en lui tendant la main.

Rosie l'avait prise.

— Moi aussi, je voudrais ma mère, avait continué doucement Petit Pois en serrant les doigts de la servante.

— Ça suffit! avait crié Roscuro. Enchaîne-la! Enchaîne-la maintenant!

— Boudiou! s'était révoltée Rosie en agitant son arme. N'y compte pas, vilain! Tu ne m'y forceras pas. C'est *moi* qui ai le couteau!

— Si tu as un grain de bon sens, ce dont je doute fort, évite de me menacer avec ce couteau. Sans moi, tu ne retrouveras jamais ton chemin jusqu'au château. Tu mourras de faim, ou pire encore.

— Boudiou! Sors-nous d'ici ou je te réduis en chair à pâté.

— Jamais! J'ai condamné la princesse aux ténèbres. Je t'y condamne aussi, Rosie.

— Mais je veux retourner là-haut.

— J'ai bien peur que nous n'ayons guère le choix, avait dit la princesse. À moins que ce rat au cœur sec ne s'attendrisse et ne décide de nous conduire loin d'ici.

— Je ne m'attendrirai pas! avait fermement répliqué Roscuro.

— Boudiou! avait gémi Rosie en abaissant son couperet.

Si bien que le rat, la princesse et la servante s'étaient assis tous trois dans la cellule, tandis que, dehors, le soleil se levait dans le ciel avant de se recoucher sur l'horizon et que la nuit tombait. La bougie s'était consumée, il avait fallu en allumer une deuxième. Ils avaient attendu, assis et immobiles, encore et encore.

Et, crois-moi, lecteur, ils seraient restés comme ça indéfiniment si un certain souriceau n'était pas survenu.

Chapitre cinquante
Où la princesse prononce son nom

— PRINCESSE! appela Despereaux. Princesse, je suis venu vous sauver.

En entendant son nom, Petit Pois leva les yeux.

— Despereaux, murmura-t-elle, avant de crier : Despereaux!

Lecteur, il n'y a rien d'aussi doux dans ce triste monde que d'entendre la personne qui t'aime prononcer ton nom.

Rien.

Pour Despereaux, cette musique méritait toutes les épreuves : la perte de sa queue, son voyage aller-retour-aller dans les oubliettes.

Il se précipita vers la princesse.

Mais Roscuro, montrant les dents, lui barra le chemin.

— Oh, non! cria Petit Pois. Je t'en supplie, rat! Ne lui fais pas de mal! C'est mon ami.

— Ne vous inquiétez pas, princesse, lança Rosie, je vais sauver cette souris.

S'emparant de son couteau de cuisine, elle visa la tête du rat. Sauf qu'elle manqua sa cible.

— Houlà! s'exclama-t-elle.

Chapitre cinquante et un
Qu'est-ce que c'est que cette odeur?

— OUUUUUUIIIIILLLLLE! piailla Roscuro.

Il se retourna et constata que sa queue avait disparu. Despereaux en profita pour sortir son aiguille et la pointer à l'endroit où aurait dû se trouver le cœur du rat.

— Pas un geste! lança-t-il. Ou je te tue!

— Ha! ha! ha! ricana Botticelli qui observait la scène, en retrait. C'est ça! Une souris qui tue un rat. Oh, tout ça est encore mieux que ce que j'espérais. J'adore quand les souris descendent dans les oubliettes.

— Laisse-nous voir! crièrent les autres rats en se bous-

— Pas un geste! lança-t-il. Ou je te tue!

culant derrière lui.

— Reculez! ordonna Botticelli. Que la souris fasse son boulot.

Despereaux tenait l'aiguille tremblante contre la poitrine de Roscuro. En tant que chevalier, il savait qu'il était de son devoir de protéger la princesse. Mais tuer le rat permettrait-il vraiment d'écarter les ténèbres?

Despereaux baissa légèrement la tête. Dans le mouvement, ses moustaches vinrent caresser le nez du rat.

Roscuro renifla.

— Qu'est-ce que c'est que cette odeur? demanda-t-il.

— Du sang de souris! beugla un des rats.

— Du sang et des os! cria un autre.

— Des larmes, expliqua Botticelli. Des larmes et un amour malheureux.

— En effet, acquiesça Roscuro. Mais... il y a quelque chose d'autre.

Il flaira l'air une nouvelle fois.

Alors, l'odeur de la soupe s'abattit sur son âme comme une immense vague, faisant resurgir dans sa mémoire la lumière, le lustre, la musique, les rires, toutes les choses qui lui étaient et lui resteraient à jamais inaccessibles, parce qu'il était rat.

— De la soupe! gémit Roscuro.

Et il éclata en sanglots.

— Houuuuuu! le hua Botticelli.

— Sssssss! sifflèrent les autres rats.

— Tue-moi! lança Roscuro à Despereaux en tombant à terre. C'est fichu! Je ne voulais qu'un peu de lumière. Voilà pourquoi j'ai amené la princesse ici, je le jure. Je désirais juste un peu de beauté... de lumière... Rien que pour moi.

— Tue-le! s'emporta Botticelli. Ce rat est indigne d'être un rat!

— Non, Despereaux, intervint la princesse. Épargne-le.

Le souriceau abaissa son aiguille, et se tourna pour regarder Pipa.

— Houuuuuu! hurla une nouvelle fois Botticelli. Tue-le! Tue-le! Toute cette bonté me rend malade. J'ai perdu l'appétit.

— Boudiou! cria Rosie en agitant son couteau, c'est moi qui vais le tuer!

— Non! Attends! lança la princesse. Roscuro?

— Quoi? répondit le rat dont les larmes dégouttaient de ses moustaches.

Prenant une grande inspiration, la princesse posa une main sur son cœur.

Je crois, lecteur, qu'elle éprouvait les mêmes sentiments que ceux que Despereaux avait ressentis lorsqu'il s'était retrouvé devant son père implorant son pardon. C'est-à-dire que Pipa avait soudain conscience de la fragilité de son cœur, des ténèbres qu'il renfermait et qui, sans cesse, combattaient la lumière. Elle n'aimait pas le rat. Elle ne l'aimerait jamais, mais elle savait comment agir pour sauver son propre cœur.

C'est ainsi que la princesse adressa les paroles suivantes à son ennemi :

— Roscuro, voudrais-tu un peu de soupe?

— Inutile de me torturer, renifla le rat.

— Je te promets que si tu nous conduis hors d'ici, j'ordonnerai à Cuisinière de te préparer un potage. Et tu auras le droit de le déguster dans la salle des banquets.

— À propos de déguster, cria l'un des rats, donne-nous ce souriceau à manger!

— Ouais! renchérit un autre. Par ici, la bonne souris!

— Qui voudrait de lui, maintenant? protesta Botticelli.

Il n'a plus aucun goût, avec toute cette bonté, tous ces pardons. Beurk! Je préfère m'en aller.

— De la soupe? Dans la salle des banquets? répéta Roscuro.

— Oui, assura Pipa.

— Promis?

— Juré!

— Boudiou! s'exclama Rosie. Mais la soupe est illégale!

— Pourtant, c'est si bon, marmotta Despereaux.

— En effet, confirma Petit Pois.

Elle se pencha sur le souriceau.

— Tu es mon chevalier à l'aiguille étincelante, lui dit-elle. Je suis tellement heureuse que tu m'aies trouvée. Remontons. Allons manger une bonne soupe.

Et, lecteur, c'est ce qu'ils firent.

Chapitre cinquante-deux
Tout est bien qui finit bien

MAIS LA QUESTION à laquelle tu attends que je réponde, lecteur, c'est : tout fut-il bien qui finit bien?

Oui... et non.

Qu'arriva-t-il à Roscuro? Tout fut-il bien qui finit bien pour lui? Eh bien... La Princesse Petit Pois lui donna libre accès au château. Il fut autorisé à aller et venir entre les ténèbres des oubliettes et la lumière des étages supérieurs. Hélas, il ne trouva jamais vraiment sa place, ni dans un lieu ni dans l'autre. Tel est le triste sort, j'en ai bien peur, de ceux dont le cœur s'est brisé et a mal cicatrisé. Toutefois, le rat, en cherchant le pardon, réussit à donner un peu de lumière, un peu de joie, à un autre être.

Comment ça?

Roscuro, lecteur, parla à la princesse du prisonnier qui

avait autrefois possédé une nappe rouge, et la princesse ordonna sa délivrance. Roscuro conduisit l'homme hors des oubliettes et le rendit à sa fille, Rosie Latruie. Rosie, comme tu l'as deviné, ne devint jamais princesse. Mais son père, désireux de réparer ses erreurs, le traita comme telle le restant de ses jours.

Et Despereaux? Tout fut-il bien qui finit bien pour lui? Il n'épousa pas la princesse, si c'est cela que tu as en tête. Même dans un monde aussi étrange que celui-ci, une souris et une princesse ne se marient pas.

Mais, lecteur, ils peuvent être amis.

Et ils le furent. Ensemble, ils vécurent maintes aventures. Ces aventures, cependant, relèvent d'une autre histoire, et je crains qu'il me faille maintenant achever la mienne.

Avant que tu me quittes, lecteur, imagine néanmoins ce qui suit : un roi aux anges et une princesse resplendissante, une servante portant couronne et un rat coiffé d'une cuillère, tous rassemblés autour de la table dans la salle des banquets. Au milieu de la table, une grande soupière. Assis à la place d'honneur, juste à la droite de la princesse,

un minuscule souriceau aux très grandes oreilles.

Et derrière une poussiéreuse tenture de velours, stupéfaites, quatre autres souris.

— Mon Dieu, regardez-moi ça! dit Antoinette. Il est vivant! Il est vivant! Et il a l'air tellement heureux!

— Il m'a pardonné, murmure Lester.

— Nom d'un fromage! bougonne Sentinelle. C'est ahurissant.

— En effet, sourit Bonpain, le maître du fil. Complètement ahurissant.

Et en effet, lecteur, ça l'est.

N'est-ce pas?

Fin

Coda

Te rappelles-tu que Despereaux, dans les oubliettes,
au creux de la paume de Grégoire le geôlier,
avait chuchoté une histoire
à l'oreille du vieil homme?
J'aimerais bien que tu me considères
comme une petite souris
qui t'aurait raconté une histoire,
cette histoire, de tout mon cœur,
te la murmurant au creux de l'oreille
pour me sauver des ténèbres
comme pour te sauver, toi, des ténèbres.
« Les histoires sont la lumière »,
a dit Grégoire le geôlier à Despereaux.
Lecteur, j'espère que tu auras trouvé
un peu de lumière ici.

Kate DiCamillo a vécu la majeure partie de son enfance dans le Sud des États-Unis et a étudié à l'université de Floride. Auteure de livres pour enfants et pour adultes, elle a été lauréate du McKnight Artist Fellowship for Writers en 1998.
Voici ce que dit Kate DiCamillo au sujet de *La quête de Despereaux* : « Le fils de ma meilleure amie m'a demandé si je voulais lui écrire une histoire. "Ce serait une histoire au sujet d'un héros invraisemblable qui a des oreilles exceptionnellement grandes", m'a-t-il dit." "Et qu'est-ce qui arrive à ton héros?" lui ai-je demandé. "Je ne sais pas, a-t-il répondu. C'est pour ça que je veux que tu écrives son histoire." Eh bien, Luke Bailey, voilà, trois ans plus tard, l'histoire de ton héros invraisemblable aux oreilles exceptionnellement grandes. Merci de ta patience. »